「大軍拡阻止！ プーチンの戦争粉砕！」[illegible]の闘う労学が戦闘的デモ（23年6月18日）

大軍[illegible]ファシズム粉砕

全学連が首相官邸に「サミット反対」の拳（5月19日）

北海道の労学が意気高く改憲阻止の声（6月18日、札幌市）

東海の労学がウクライナ反戦のデモ（6月18日、名古屋市）

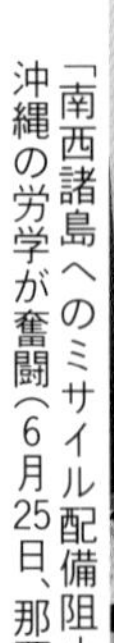
「南西諸島へのミサイル配備阻止！」沖縄の労学が奮闘（6月25日、那覇市）

大阪市中心部をデモで席巻する労学（6月18日）

「オスプレイ配備阻止！」陸自福岡駐屯地現地闘争に起った九州の労働者（6月18日）

改憲反対集会に金大生が決起（5月3日、金沢）

「軍拡財源法制定阻止!」全学連が国会前で断固抗議（6月16日）

沖縄県学連・全学連派遣団が「平和行進」を戦闘的に牽引（5月13日、嘉手納）

「大軍拡阻止」沖縄の闘う学生が労働者とともに奮闘（6月7日、那覇市）

新世紀

第 326 号（2023年9月）

The Communist

帝国主義打倒！
　スターリン主義打倒！
　　万国の労働者団結せよ！

2023年 9月 No.326 目次

新世紀

日本革命的共産主義者同盟 革命的マルクス主義派 機関誌

大軍拡・改憲・安保強化の極反動攻撃を粉砕せよ！

岸田日本型ネオ・ファシズム政権打倒めざして闘おう

わが同盟は、すべての労働者・学生諸君に呼びかける！　岸田政権が今夏今秋に強行せんとしている日本の軍事強国化と改憲の一大攻撃を打ち砕くために、決意も新たに反戦反安保・改憲阻止の一大闘争を全力で燃えあがらせよ！

いま、日本全国において岸田政権にたいする労働者・人民の怒りと不信の声が渦巻いている。この政権は今国会において、日本型ネオ・ファシズム政権たるの本性をむきだしにした。今後五年間で四三兆円もの巨費を投じ軍事費をGDP比二％に拡大する軍拡財源法および軍需産業強化法など軍拡二法、東日本大震災・福島第一原発事故いらいはじめて原発推進をうたったGX電源法の制定、国民総監視・総管理強化のためのマイナンバー法改定、外国人難民を排斥する入管法改定、〝差別増進法〟たるLGBTQ法制定など――歴代自民党政府がこれまでなしえなかったあらゆる反動攻撃を、岸田政権は、議会内での抵抗闘争さえも放棄した野党の総屈服に助けられて強行した。これを戦後最悪の反動国会といわずしてなんというべきか！

岸田の極反動攻撃にたいして、完全に死の沈黙を決めこんでいるのが既成指導部ではないか。軍需産業をはじめ独占資本家の手先たる「連合」芳野指導部は、労働者の〝代表〟づらをしながら、軍拡二法にたいして黙認というかたちで手を貸した。日共の志位指導部にいたるやこの決定的局面において、大軍拡・安保強化に反対する大衆的闘いの組織化をまったく放棄しているではないか。このゆえにこそ、岸田極反動政権による攻撃が貫徹するという痛苦な事態が現出しているのだ。

会期末を目前にひかえた二〇二三年六月十三日、首相・岸田文雄は、「今国会が会期末間近になり、いろんな動きがあることが見込まれる。情勢をよく見極めたい」などとニヤついた表情を浮かべながら、野党に「衆院解散・総選挙」の恫喝を加え、もって参院での軍拡財源法採決にたいする抵抗をまんまと封じこめたのだ。

そもそも、岸田は、みずからが議長の役回りを演じた五月のＧ７広島サミットを終えるや否や、それを最大の〝政治的成果〟として喧伝し、もって来年九月の自民党総裁選での再選―政権基盤の強化を掌中にすることを狙って解散・総選挙にうってでる腹を固めてきた。だがその矢先、「行政のデジタル化」の名のもとにおしすすめてきたマイナンバーカードと健康保険証との一体化にまつわる誤登録・誤記載などのあいつぐトラブルの続出、岸田一族あげての首相公邸を舞台とした忘年会のバカ騒ぎと酔狂に耽ったドラ息子の行状の社会的暴露、選挙協力をめぐる公明党の反発と自公両党の不協和音の高まり……。これら国会審議のさなかに明らかとなった事態のゆえに、一気に高まった労働者・人民の怒りに直面した岸田は解散を先送りするとともに、財源確保策の策定などは二〇二五年度以降に先延ばししたうえで、とにもかくにも極反動法の制定を強行したのだ。

既成反対運動の壊滅状況を突き破り闘いを唯一おしすすめているのが、わがたたかう労働者・学生である。全学連のたたかう学生は国会前闘争に連続的に決起してきた。六月十八日には、全学連と反戦青年委員会が首都・東京をはじめ全国各地において〈反戦反安保・改憲阻止〉の一大デモンストレーションにうってでたのだ。

すべての労働者・学生諸君！　いまこそ既成指導部の闘争放棄を弾劾し、大軍拡・改憲阻止、日米軍事同盟の強化反対、日本型ネオ・ファシズム反動化阻止の闘いの巨大な奔流をつくりだすのでなければならない。これら一切の闘いを総集約し岸田日本型ネオ・ファシズム政権打倒めざしてたたかおうではないか！

軍拡財源法の制定弾劾！

岸田政権は、軍事予算をGDP比二％に引き上げる軍拡財源法案の採決を、「解散・総選挙」の恫喝で野党を完全に腰砕けにしたうえで強行した。

ロシアのウクライナ侵略を発火点として、東アジアにおいても台湾や朝鮮半島を焦点に米・日・韓と中・北朝鮮（・露）との戦争勃発の危機が一気に高まっている。対北・対中の最前線に立たされた日本帝国主義の岸田政権は、没落帝国主義アメリカ・バイデン政権の対日要求（軍事予算の倍増など）に応えるかたちで、北朝鮮（中国）の敵基地を先制攻撃しうる軍事体制の確立と沖縄・南西諸島の軍事要塞化に突進している。そのために岸田政権は、F35戦闘機やトマホーク・ミサイルなどのアメリカ製高額兵器を大量購入しようとしているのだ。「今後五年間に四三兆円」と明記した軍拡財源法をふりかざして、この政権は、昨年十二月に策定した「安保三文書」に明記した「反撃能力保有」「継戦能力の確立」などの軍備増強施策に人民から収奪した血税を湯水のように注ぎこもうとしているのである。

大軍拡の財源として岸田政権は、東日本大震災の復興費として徴集する「復興特別所得税」の半分を軍事費に転用することを企んでいる。軍拡財源法に明記された「防衛力強化資金」には、各種の「準備金・積立金・繰越金」の一部を充当することが盛りこまれた。これは人民からとりたてた税収入の使途を軍事用に転換するものだ。さらに「徹底した歳出削減」による軍事費の捻出が謳われた。岸田政権は社会保障支出を削減して軍事予算を増額することを企んでいるのだ。

さらに足りない分を増税によって賄うと軍拡財源法に明記したのが岸田政権だ。だがこの政権は、増税の時期も税の種類も明記せず、「骨太方針」において「二〇二五年以降の適切な時期」に「閣議決定」するとうそぶいている。大軍拡のために人民から血税をむしりとる企みを隠蔽し人民を徹底的に欺瞞している岸田政権を断じて許すな！

改憲阻止、ウクライナ反戦を闘う労学（6・18、東京）

ロシアのウクライナ侵略によってひきおこされた世界的なエネルギー不足＝価格高騰を口実にして岸田政権は、老朽原発の六十年超の運転を容認する原発推進法を制定した。いまや核武装した北朝鮮と中国に対峙している日本帝国主義の岸田政権は、急坂を転げ落ちるようなアメリカ帝国主義の没落に不安を募らせているがゆえに、潜在的核兵器製造能力の維持・強化をも狙って原発推進法の制定を強行したのである。

ネオ・ファシズム支配体制強化の攻撃

今国会において岸田政権は、改定マイナンバー法と改定入管法、「LGBT理解増進法」を制定した。

マイナンバーカードをめぐって湧きあがる人民の不安の声を無視して岸田政権は、健康保険証を廃止してマイナンバーカードに一本化すると明記した改定マイナンバー法を強引に制定したのだ。〝デジタル化の遅れを挽回せよ〟という独占資本家階級の要求に応えて、そして国民総監視・総管理体制を一気に強化することを狙って岸田政権は、マイナンバー法改定を強行したのである。

この政権は、外国人難民や性的少数者にたいする日本政府の対応が〝後進国レベル〟で〝差別的〟であると欧米政府や国連機関などから非難されている。こうした非難に応えるかたちをとりながらそのじつ、岸田政権・自民党は、外国人難民を排斥し問答無用に強制送還する改定入管法の制定を強行した。そして「全国民の安心な生活に留意する」などという文言を盛りこんだLGBTQ法を制定した。これは、性的少数者を「全国民の安心な生活」を脅かす存在と烙印し排斥する〝差別増進法〟いがいのなにものでもない。

岸田政権・自民党の極右ネオ・ファシストどもは、「日本の伝統文化・家族観」なるものをふりかざし排外主義的イデオロギーを鼓吹している。日本型ネオ・ファシズム支配体制の飛躍的強化を断じて許すな！

対中・対露グローバル同盟構築への突進

岸田政権は、六月初めいらい軽空母「いずも」を中心とする海自艦隊を、全地球規模の海軍大演習「大規模グローバル演習二〇二三」(八月末まで)に参加させている。沖縄・台湾沖からフィリピン海にかけての広大な海域において、二つの米空母打撃群およびNATO軍のフランス・カナダの艦船とともに、対中の一大軍事的示威行動にうってでたのだ。それだけではない。いまや「欧州とアジアの安保は不可分」とほざいて、NATOがドイツ領空および北海・バルト海域で開始したNATO史上最大の空軍演習「エア・ディフェンダー二〇二三」(六月十二日～二十三日)に、歴史上初めて日本国軍を参加させているのだ。

没落帝国主義アメリカ・バイデン政権の要請に応え岸田政権は、NATOと米日韓三角軍事同盟および米英豪のAUKUSとを一体化した対中・対露グローバル同盟を構築する策動の先導役を務めているのだ。現に岸田は、東京へのNATO連絡事務所の設置要請にもふみだしている。

同時にこの政権は、「権威主義対民主主義の戦い」を振りかざしてきたアメリカ帝国主義国家に反発する「グローバル・サウス」諸国をば、中・露による抱きこみから引き離し米欧側に引き寄せる先兵をもかってでている。まさに「力による一方的な現状変更反対」「法の支配にもとづく国際秩序の維持」をうちあげたG7広島サミットを跳躍台にして、一超軍国主義帝国アメリカが衰退をあらわにしているいま、〝世界の軍事強国・政治大国〟へとのしあがる野望をたぎらせて突進しているのが岸田ネオ・ファシスト政権なのだ。

反戦反安保・改憲阻止闘争の大高揚をきりひらけ！

すべての労働者・学生諸君！　われわれは、岸田政権の大軍拡と軍事強国化の策動を木っ端微塵に打ち砕く闘いを、いよいよもって強力におしすすめようではないか！

この極反動政権は、「国家安全保障戦略」など「安保三文書」においてうちだした軍事強国化の計画にのっとって、矢継ぎ早に一大軍拡をすすめている。相手国領土内の軍事目標や指令中枢にたいする軍事情報収集および攻撃の指揮統制のための衛星コンステレーション（低軌道衛星群）の整備や、一大宇宙軍拡のための「宇宙安全保障構想」の策定。航空機や戦闘車両の無人化技術、量子コンピュータ、高出力レーザー兵器などの「早期装備化」をうたう防衛装備庁の「防衛技術指針二〇二三」のねりあげ。そして「継戦能力向上」と「機密保持」を名分に「防衛装備の国産化」とその輸出を促進する「基本方針」の策定、等々。敵基地先制攻撃のためのミサイル開発から宇宙空間・サイバー空間までを包含する、いまだかつてない一大軍備拡張に突進しているのが、岸田極反動政権なのだ。

われわれは、こうした岸田政権による、大軍拡・軍事強国化とグローバル安保同盟構築の策動を、まっこうから打ち砕く反戦・反安保の闘いにただちに決起しようではないか！　「反安保」を投げ捨てこの期におよんでなお大衆的闘いへのとりくみをいっさい放棄している日共・志位指導部を弾劾し、安保破棄をめざしてたたかおう！

同時にわれわれは、習近平中国の台湾併呑を狙った威嚇的軍事行動にも反対してたたかうのでなければならない。ネオ・スターリニスト中国の核戦力強化策動に断固として反対せよ。

岸田政権・自民党は、憲法改悪の策動にいよいよ拍車をかけている。自民党は、公明党や日本維新の会や国民民主党をまきこんで、衆参両院の憲法審査会において改憲条文案づくりに血道をあげてきた。そしていま、「緊急事態条項」の新設について「論議は出つくした」などとうちあげ、今秋の臨時国会において改憲条文案を一挙に策定しようとしているのだ。これを絶対に許すな。憲法改悪阻止の一大闘争を創造せよ。

改定マイナンバー法を粉砕せよ。マイナンバーカードと健康保険証を一体化した「マイナ保険証」に別人の情報がひもづけられていたケースが、公表されているだけでも七三七二件におよんでいる。相次ぐ不祥事を居直りマイナンバーカード取得を強制する岸田政権を弾劾せよ。そしてまた、難民認定希望者を容赦なく本国に送還することを法制化した改定入管法を粉砕せよ。すべての国民の一挙手一投足を政府・NSC（国家安全保障会議）のもとに一元的に監視・管理し、外国人難民は「有事」にさいして「国家の安全」を脅かすものとみなして排斥する、――こうしたネオ・ファシズム支配体制強化の策動に反対する闘いを、反戦反安保・改憲阻止の闘いと結びつけてたたかおう。

岸田政権は、大軍拡や独占資本支援のための「DX（デジタル化）・GX（脱炭素化）」の推進や独占資本にとって必要な労働力確保のための「少子化対策」などの財源を、税や社会保険料の引き上げによって確保しようとしている。この政権は税収を一挙に増大させるための消費税大増税の機を虎視眈々とうかがっているのだ。一切の大衆収奪強化に反対する政治経済闘争を、反戦反安保闘争と結合しおしすすめよう。

ウクライナ反戦闘争をさらに推進せよ

ウクライナ軍は東部ドネツク州および南部ザポリージャ州を中心にして、ロシア侵略軍にたいする反転攻勢にうってでている。これに直面したプーチンは、ヘルソン州西部方面からのウクライナ軍の攻撃を阻むために、ウクライナ最大のカホフカダムを特殊工作部隊に命じて爆破し、ドニプロ川下流域に大洪水をひきおこした。ウクライナ人民は、今ヒトラー・プーチンのこの大犯罪にますます怒りを燃やし、軍や領土防衛隊の一員として、またこれらと連携し支えながら、すべての占領地からロシア軍を叩きだすために戦いぬいている。われわれは、日本の地において、ウクライナ人民と固く連帯し、ウクライナ反戦の闘いをさらに強力におしすすめるのでなければならない。〈プーチンの戦争〉を粉砕する闘いを、全世界の労働者・人民の最先頭でたたかおう。

核軍事大国のロシアが隣国のウクライナに侵略するという現実をまえにしても、「どっちもどっち」とか「ＮＡＴＯの方が悪い」などと侵略者プーチンを擁護する態度をとってきた腐敗した自称「左翼」は、プーチンのカホフカダム破壊という大犯罪にたいしても、沈黙をきめこんでいる。そして党内にゴリ・スターリニストを抱えている日共・志位指導部も、党内対立の噴出を恐れて商業新聞なみの〝報道〟に終始し、ウクライナ反戦の闘いを放棄しつづけている。

われわれは、こうした一切の既成指導部の対応を弾劾しウクライナ反戦闘争の高揚をかちとろうではないか。そして、彼らの腐敗の根拠がスターリン主義との対決の欠如にあることを暴きだし、〈プーチンの戦争〉を打ち砕く闘いの怒濤の前進をかちとれ。

すべてのたたかう労働者・学生諸君！

反戦反安保・反改憲の闘いを、ネオ・ファシズム支配体制強化反対の闘いを、そしてウクライナ反戦闘争を総力をあげてたたかいぬき、これらを集約しもって極悪ネオ・ファシスト岸田政権打倒をめざしてたたかおう！

反戦反安保・改憲阻止の闘いを！〈プーチンの戦争〉を打ち砕け

国会会期末を目前にしたいま、岸田政権は、参議院において軍拡財源法案・軍需産業強化法案の採決にふみきろうとしている。

反対運動の組織化を完全に放棄している日本共産党中央の犯罪的対応、そしてまた大軍拡にたいして〝黙認〟するというかたちで労組指導部としてエールを送る「連合」指導部の許しがたい対応に助けられて、岸田政権は、極反動の諸法の成立を一挙にはかろうとしているのだ。

すべての労働者・学生諸君！

バイデンのアメリカと一体となって先制攻撃をおこなう軍事強国に飛躍するための大軍拡と憲法改悪を粉砕する闘いに、職場・学園からただちに決起せよ。アメリカとともに戦争を遂行する軍事国家にふさわしいネオ・ファシズム支配体制をうちかためるための一切の攻撃を打ち砕くために、国会・首相官邸を包囲する一大闘争に起て！

岸田政権は、アメリカ・バイデン政権とともに、在沖米海兵隊部隊と一体のものとして、南西諸島に自衛隊ミサイル部隊をどしどし配備し・この部隊に長射程ミサイルを導入して先制攻撃のための拠点を築くことに血道をあげている。これにたいして習近平の中国は、南シナ海を偵察していた米軍機に中国軍戦闘機を急接近させるという威嚇的な軍事行動にうってでた。〔六月三日、台湾海峡で、中国軍艦船が米軍艦船の前方を二度にわたって至近距離で横切るという挑発行動をおこなった。〕まさに米・日と中国とは、その攻防の最前線たる「第一列島線」上の台湾・南シナ海で一触即発の危機にあるのだ。

われわれは、台湾周辺・南シナ海での米・日と中国との戦争勃発を阻止する反戦の闘いを断固として創造するのでなければならない。

ウクライナでは、プーチンの侵略軍をウクライナの地から叩き出すためにウクライナ軍と人民が一丸となって東南部での反転攻勢にうってでようとしている。このウクライナ軍部隊の進撃に怯えるプーチンの侵略軍は、東南部に塹壕と地雷原をはりめぐらせその後方に亀の子となりながら、イラン製ドローンなどによるキーウなどの諸都市への攻撃を強めている。

侵略者をウクライナから叩き出そうとしているウクライナ人民と連帯して、ウクライナ反戦の闘いをまきおこせ！

きたる労学統一行動にむけて、労学両戦線から闘いを創造しているすべての労働者・学生のみなさん。われわれは、「反安保」を放棄した日共中央翼下の既成反対運動をのりこえ、いまこそ反戦反安保・改憲阻止の闘いを「日米グローバル同盟粉砕」「米―中・露激突下の戦争的危機を突き破れ」の旗高くおしすすめよう！〈プーチンの戦争〉を打ち砕くためにウクライナ反戦闘争をさらに強力におしすすめよう！

こうした反戦反安保・改憲阻止の闘い、ウクライナ反戦の闘い、改定入管法制定に反対する闘いなど一切を集約して、岸田日本型ネオ・ファシズム政権打倒めざしてたたかおう！

6・18―25労働者・学生統一行動に決意も固く総決起せよ！

戦争勃発の危機が高まる東アジア

米・欧・日の帝国主義諸国権力者が対中国・対ロシアのグローバルな軍事包囲網形成を宣言したG7広島サミットを区切りとして、東アジアにおけるアメリカ・日本と中国・ロシアとの軍事的な角逐が激化している。

没落軍国主義帝国アメリカの大統領バイデンは、「属国」日本の首相・岸田文雄が議長を担った広島サミットにおいて、他のG7諸国権力者とともに、中国による「台湾統一」や南シナ海の軍事拠点化の策動を「力による一方的な現状変更」と非難し、「法の支配にもとづく国際秩序を守る」ことを確認したのであった。

習近平中国による「台湾併呑」のための政治的・軍事的な攻勢の強まり。「内政干渉反対」を旗印とした「グローバルサウス」の諸国の政治的・経済的抱きこみの進展。こうした世界制覇にむけたネオ・スターリン主義中国の諸策動を眼前にして、焦りに駆られているのが、老いたる軍国主義帝国アメリカの権力者なのだ。

バイデン政権は、アメリカ一国のみで中国を封じこめる力を喪失して久しいがゆえに、日、韓、豪、フィリピンというアジア太平洋地域の同盟諸国をかき集めアジア太平洋版NATOを創出することをめざした追求にふみだした。これに全面的に協力加担しているのがアメリカ帝国主義に日米安保の鎖で締めあげられた日本帝国主義の岸田政権にほかならない。

そして、経済成長のめざましい東アジア地域に関与してゆくことをそれぞれの生き残り策とする英および独・仏の帝国主義権力者たちもまた、ロシアとの連携を強めつつ核軍事力の増強をおしすすめる中国を軍事的に抑えこむために、米・日の帝国主義との軍事的連携強化にのりだしているのだ。

こうして対中・対露のグローバルな軍事的包囲網の構築に血眼となっている米・日および欧州の帝国主義権力者にたいして、ネオ・スターリン主義中国の習近平政権は、政治的・軍事的な対抗策にただちにうってでている。

習近平政権は、G7広島サミットにぶつけるかたちで、「いにしえの都・長安」＝西安で中央アジア首脳会議を開催した。この会議において習近平は、旧ソ連邦構成諸国である中央アジア五ヵ国（カザフスタン、ウズベキスタン、キルギス、タジキスタン、トルクメニスタン）の権力者たちから、「〔アメリカによる〕内政干渉反対」「一つの中国の支持」をとりつけるとともに、「陸のシルクロード構想」実現のための政治的・経済的連携をいっそう強化することを謳いあげたのであった。〔ちなみにかつて（七世紀ころ）中央アジアを支配したトルコ系の「突厥（とっけつ）」が中国・唐の皇帝に服属した。その唐の都が長安である。〕

それは、世界制覇の野望をたぎらせている「赤い皇帝」習近平を戴く中国が、ユーラシア大陸において中央アジア諸国との現代版の「冊封」関係をつくりだしていることを誇示する式典にほかならなかったのである。

そして、習近平の中国は、「BRICS」と呼ばれる中国、ロシア、南アフリカ、ブラジル、インドで構成する政治的枠組みを、「グローバルサウス」の新たな国を加えて拡大する追求をもおしすすめている。

こうして習近平政権は、アメリカングローバライゼーションによって貧困と収奪を強制してきた米欧帝国主義に反発を示す新興国・途上国を――「一帯一路経済圏づくり」のための巨額融資とインフラ支援をテコとして――中国を中心とする政治的陣形に抱きこむ追求に拍車をかけているのだ。

アメリカからの兵器購入などの軍事的連携を強める蔡英文の台湾にたいしては、習近平政権は、空母「山東」を中心とする艦隊に台湾海峡を通過させるという威嚇的な軍事行動を展開した(五月二十七日)。

こうして「台湾有事」を構えた米日―中の政治的・軍事的角逐が激化し、台湾・東シナ海・南シナ海における戦争的危機がいっそう高まっているのだ。

朝鮮半島においては、金正恩の北朝鮮が、米韓日の軍事的な動向を監視すること、ならびに西太平洋の方向に弾道ミサイルを発射し飛行させる技術を獲得することをねらって、ＩＣＢＭ級ロケットを使った軍事偵察衛星の打ち上げにふみだした(五月三十一日)。一度目の打ち上げには失敗したが、ただちに次なるロケット発射にむけた準備をおしすすめている。戦略・戦術核兵器の配備に加えて自前の偵察衛星をも手にすることをめざして核戦力を強化しているのが、ロシア・中国を後ろ盾として国家的生き残りを策す金正恩政権なのだ。

これにたいして米韓の権力者は、対北朝鮮攻撃システム「キルチェーン」を運用しての対北先制攻撃の火力戦闘訓練を六月半ばまで強行するという軍事的対抗策をとっている。日本の岸田政権もまた、南西諸島にパトリオットを配備するとともに、海自艦船を米韓豪との合同軍事演習に参加させるために韓国に派遣した。

こうしていま、三角軍事同盟を核軍事同盟としてうちかためつつある米日韓の権力者は、北朝鮮にたいする準臨戦態勢をとっているのだ。

いまや米日と中露の世界的な激突のもとで、朝鮮半島においてもロシア・中国に支えられた北朝鮮と米日韓とが角逐を激化させている。かつて帝国主義とスターリン主義とによって引き裂かれ、それ以来戦火と苦難を強いられてきた朝鮮半島の人民は、再び朝鮮戦争＝熱核戦争勃発の危機に叩きこまれているのだ。

反転攻勢にうってでたウクライナ軍・人民と断末魔のプーチン

　五月二十九日、ウクライナ大統領ゼレンスキーは、東南部奪還のための反転攻勢について「いつ、いかに前進するのか決定を下した」と宣言した。ドネツク、ルガンスク、ザポリージャ、ヘルソン、そしてクリミアからロシア侵略軍を叩き出すための一大攻撃がはじまろうとしているのだ。

　反転攻勢にむけて新編された米欧製の戦車・戦闘車両で武装したウクライナ軍部隊には、ウクライナの労働者・人民が続々と馳せ参じている。そして老若男女が領土防衛隊、兵站のボランティアを担っている。このように軍と人民とが一体となって侵略軍を打ち破るための反転攻勢に本格的にうってでようとしているのである。

　それに先だってウクライナ軍は、ロシア軍の補給拠点の破壊をねらって、南部ベルジャンスクのロシア軍基地やマリウポリ・アゾフスターリ製鉄所のロシア軍の整備拠点にたいして長距離ミサイルによる攻撃を遂行した。

　ウクライナ人民は、蛮行の限りを尽くしてきた侵略軍を一人残らず叩き出すという闘志を燃えたたせ、一致結束してたたかいぬいているのだ。

　これにたいして、プーチンの侵略軍は、ウクライナ軍の進撃をおしとどめるために、ドンバスと南部ザポリージャ州・ヘルソン州において塹壕と地雷原からなる三重の防衛線をめぐらせることに血眼となっている。

　プーチンは、ウクライナ軍が保有するパトリオットなどの防空システムの前線への投入を阻み・首都キーウに釘付けにすることをねらって、連日にわたって無人機・ミサイルによる卑劣な攻撃をくりかえしている。支配下においている東南部においてはウクライナ人民にロシアのパスポート取得や健康診断を強制し、侵略軍への動員やロシアへの強制連行を強行するという新たな「戦争犯罪」に手を染めてもいる。

他方、米欧日の帝国主義権力者どもは、ゼレンスキーが到着するまでのG7サミット前半の会合では、ウクライナからの「ロシア軍の撤退」を確認することもなおざりにして、もっぱら「復旧・復興への支援」の合唱をおこなったのであった。G7サミットに乗りこんだゼレンスキーの必死の訴えによって、「ウクライナ支援」のムードが醸しだされはした。しかし、バイデン政権が容認した欧州諸国によるF16戦闘機の供与ひとつとっても、「反転攻勢のためというよりは将来の安全のため」(大統領補佐官サリバン)などという言辞に示されるように、「停戦」後の支援であることを明示するものなのだ。それは、アメリカが欧州諸国とともに、七月に開催を予定しているNATO首脳会議の議題として、ゼレンスキー政権とのあいだで〃停戦後のさらなる侵略の抑止〃を掲げる安全保障協定の締結をテーマとすることを発表したことのなかにも露骨に示されているといわなければならない。

〃ロシアに負けないように反転攻勢にむけた軍事支援はおこなうが、ウクライナに勝たせようとはしない〃——これがアメリカ帝国主義権力者のハラなのだ。バイデンは、主敵・中国を抑えこむことを国家戦略上の中軸としており、この中国がロシアと組んで軍事的に対抗できないようにロシアを弱体化させることをもくろんでいる。あくまでもアメリカ帝国主義の国家的利害にもとづいて、ウクライナを利用しているのがバイデンにほかならない。

こうしたなかで中国の習近平政権は、仏・独両政府にたいしてウクライナ東南部のロシアによる占領を容認したうえでの「即時停戦」案を示すとともに、中央アジアをはじめとする新興諸国・途上諸国にたいしてロシア軍の撤退なき停戦を掲げる「十二項目提案」への支持を呼びかけている。そうすることで断末魔の侵略者プーチンを擁護するばかりか、米欧の分断をはかりつつ「グローバルサウス」の諸国をひきつけるという術策を弄しているのだ。

こうした米・中のうごめきのなかで、いまプーチン・ロシアの侵略軍を打ち破る大攻勢を開始しつつあるウクライナ人民の戦いは、重大な局面を迎えている。われわれは、全世界の労働者・人民に〈プーチンの戦争〉を打ち砕く闘いへの決起を呼びかけつつ、日本の地からウクライナ反戦闘争を断固として推進するのでなければならない。

大軍拡・改憲に突き進む岸田ネオ・ファシズム政権

ロシアのウクライナ軍事侵略を震源として米―中・露の激突が熾烈化する世界的な激動のただなかで、日米軍事同盟のグローバルな強化にもとづき軍事強国への道を驀進しているのが、バイデンのアメリカに安保の鎖で締めあげられた「属国」日本の岸田政権にほかならない。

いま東アジアでは、「台湾併呑」のためにロシアと連携して対米・対日の威嚇的軍事行動を展開する習近平中国と、蔡英文の台湾への軍事支援を強化するとともに同盟諸国を動員して軍事行動を展開するバイデンのアメリカとの軍事的衝突の危機が高まっている。

そして、米・中の台湾をめぐる軍事的緊迫のなかで、弾道ミサイル発射を強行する北朝鮮権力者と、対北先制攻撃を想定した軍事演習の強行をもって応える米韓両権力者との角逐も激化している。

こうした緊迫する東アジア情勢のもとで、日本帝国主義の岸田政権は、中国の攻勢をまえにして、米欧帝国主義権力者とともに対中国・対ロシアのグローバルな軍事包囲網の強化を確認したG7広島サミットにふまえて新たな策動にうってでている。

岸田政権は、「今日のウクライナは明日の東アジアだ」などとうそぶいてロシアのウクライナ侵略を利用しながら、先制攻撃兵器保有＝大軍拡のための財源確保法および軍需産業強化法の制定といったこれまで歴代自民党政権が実現しえなかった反動諸法の制定を一気になしとげようとしているのだ。

今後五年で四三兆円の軍事費を確保し対GDP比二％の年一一兆円に倍増するために「防衛力強化資金」を創設することを謳った軍拡財源確保法案、そして軍需生産拡大のために国家をあげて軍需独占体を支援することを謳う軍需産業強化法案――これらの反動法案の参院採決を強行しようと血道をあげているのが岸田政権なのである。

まさにそれらは、「復興税」の軍事費への転用や社会保障費のさらなる切り捨てとともに、大軍拡のために労働者・人民からの収奪をいっそう強化するものなのだ。

大軍拡のための法制定に突き進むと同時に、岸田政権は、南西諸島への自衛隊ミサイル部隊の配備とこの部隊へのトマホークミサイル導入をおしすすめている。それらは、米軍とともに「敵国」の基地・軍事中枢への先制攻撃を遂行しうる軍事システムを構築することをねらった一大攻撃なのである。

こうしたアメリカと一体となって先制攻撃をおこなう軍事強国にふさわしい強権的＝軍事的支配体制をうちかためるためにこそ、岸田政権・自民党が強行せんとしているのが「戦争放棄」「戦力不保持」を謳う憲法第九条の改定と「緊急事態条項」の創設を柱とした憲法改悪にほかならない。

岸田政権・自民党は、公明党、日本維新の会、国民民主党の改憲勢力をまきこんで早期に改憲発議にもちこむことをねらって、憲法審査会での改憲条文案の策定に拍車をかけている。すでに「緊急事態」における議員任期の延長にかんしては自民・公明・維新の会・国民民主の四党の一致点となったとみなす自民党議員どもは、さらに「緊急政令」発布の権限を内閣に付与することや、憲法第九条に自衛隊の存在のみならず「国防規定」を明記することを審査会の場においてがなりたてている。

岸田政権による憲法改悪こそは、米—中・露激突の熾烈化のもとでアメリカとともに敵国に先制攻撃をしかけうる軍事強国に飛躍するための〝ネオ・ファシズム憲法〟の制定というべき戦後史を画する重大な攻撃いがいのなにものでもないのだ。

大軍拡・憲法改悪阻止、ウクライナ反戦の闘いの爆発を！

いまこそわれわれは、岸田政権のふりおろす大軍拡のための財源確保法・軍需産業強化法の制定と憲法改悪の一大反動攻撃を打ち砕くために、そしてプーチンのウクライナ軍事侵略を打ち砕くために、総決起するのでなければならない。

　岸田政権が国会において大軍拡法案の制定と改憲条文案づくりに突き進んでいるこのときに、日共志位指導部は、これに反対する大衆的反撃の闘いをほとんど組織化してすらいない。彼らは、松竹某に影響されて基本政策の「自衛隊合憲・安保堅持」への「改革」を求める党員と、ウクライナ問題で「ロシアよりＮＡＴＯが悪い」とほざく党員、さらにはわが革命的左翼の批判に揺さぶられた良心的党員などへと党内が分解しつつあるがゆえに、〝運動にとりくめば組織がバラバラになる〟と悲鳴をあげながら、ウクライナ反戦の闘いからも大軍拡法案反対の闘いからも逃げまわっている始末なのだ（中央委員会も延期せざるをえないほどに党内の混乱は深刻化している）。

　大衆闘争を放棄した彼ら日共中央はいま、「悪政四党連合」がすすめる軍拡財源法案などの「悪法」、これを阻止するために「力を合わせ」「市民と野党の共闘を再構築する」と唱えながら、泉健太の立憲民主党にまたぞろ抱きついている。この立民が軍需産業強化法については「防衛力の基盤強化に異論はない」と称して賛成しているにもかかわらず、立民が維新と袂を分かったことを「野党共闘」復活のチャンスと浅はかにも望みをつなぎ、性懲りもなくこれにしがみついているのが志位指導部なのだ。

まさにこの立民との「共闘」をはかるためにも、日共中央は「悪法阻止」の方針から「反安保」を抜きさっている。岸田政権がバイデンのアメリカとの先制攻撃体制構築の誓約にもとづいて大軍拡法の制定に突き進んでいるこのときに、日米軍事同盟に反対することを放棄することは、大軍拡反対の闘いを敗北に導く犯罪いがいのなにものでもない。

日共中央は、――党の四分五裂に脅え大衆運動から逃亡していることの〝煙幕〟として――彼らの安保・外交政策の対案である「事態打開のための外交努力を求める」という日中両政府への「提言」の宣伝にうつつを抜かしている。この提言たるや、岸田政権の策定した「安保三文書」に反対することも、「中国の覇権主義反対」も完全に抜きさったものである。相互に軍事的応酬を強める権力者どもにとって痛くもかゆくもないこのような対案が、一体なんの力になるというのだ！

それぞれに階級的および党派的の利害をかけて激突しあう米日帝国主義および中国ネオ・スターリン主義の国家権力者ども、その角逐の非和解性を無視抹殺して、「対話」で平和が実現できると吹聴するのは反プロレタリア的犯罪いがいのなにものでもない。まさに東アジアで高まる戦争的危機を突破するためには、米日と中国の権力者による相互対抗的な軍事行動に反対する米日・中の人民の国境を越えた団結と・これにもとづく反戦闘争の断固たる創造いがいに道はありえないのだ。

すべてのたたかう労働者・学生諸君！

いまこそわれわれは、反戦闘争から逃亡した日共指導部を弾劾しその翼下の反対運動をのりこえ、「軍拡財源確保法・軍需産業強化法の制定阻止」を焦眉の課題とする反戦反安保・憲法改悪阻止の闘い、そして〈プーチンの戦争〉を打ち砕くウクライナ反戦闘争の大爆発をかちとろうではないか！

岸田政権が六月二十一日までの今国会会期中の成立に突進する大軍拡財源確保法・軍需産業強化法の制定を絶対に阻止せよ！　参院採決の強行を許す

な！　これらの大軍拡法の制定を打ち砕くために国会を包囲する巨大な闘いのうねりをまきおこそうではないか！

　五年間で四三兆円もの巨額の軍事費を確保するとともに軍需独占体を国家的に支えることをねらう大軍拡二法の制定。これこそは、先制攻撃の軍事システム構築のために、長射程ミサイル配備や米日両軍基地の強化などの一大軍拡を一挙におしすすめることをねらったものである。われわれは、「先制攻撃体制の構築阻止！」を高々と掲げてたたかおうではないか。それとともに、この大軍拡のために岸田政権が、貧窮にあえぐ労働者・人民をさらなる奈落に突き落とす大増税を強行しようとすることに、また社会保障費の切り捨てに、断固反対するのでなければならない。国家資金＝血税を投入しての〝死の商人〟の育成を許すな！

　すでに岸田政権が「安保三文書」策定を区切りとしておしすすめている、先制攻撃体制構築のための一切の策動に反対しよう。たとえ日本が攻撃されていなくとも、アメリカ帝国主義権力者の意志ひとつで日本国家が「敵」の基地や司令部などにミサイルを撃ちこむ――このようなシステムの構築が矢継ぎ早に強行されつつある。とりわけ南西諸島が、対中国、対北朝鮮先制攻撃の軍事拠点としてうちかためられようとしているのだ。自衛隊ミサイル部隊の南西諸島への配備を許すな！ トマホークミサイルの導入阻止！ 辺野古新基地建設阻止！

岸田政権がバイデンのアメリカの要求に応えておしすすめるこの先制攻撃体制構築の策動は、日米軍事同盟の対中国攻守同盟としての飛躍的強化の現在的環をなす。いまや岸田政権は、中国を包囲するバイデン政権の先兵となって、アメリカの同盟国・友好国との一片の合意文書の確認をもって実質上の軍事同盟関係を構築しているのであり、まさにそれは安保条約の改定なき日米グローバル同盟の構築という意味をもっているのだ。

このような日米軍事同盟の画歴史的強化の攻撃がふりおろされているときに、日共中央が「反安保」を完全に放棄するほど犯罪的なことがあろうか。われわれは、大軍拡法制定を打ち砕く闘いを、まさに「日米軍事同盟の対中国攻守同盟としての強化反対」「日米グローバル同盟粉砕」「アジア太平洋版NATOの構築反対」の旗幟鮮明におしすすめようではないか。

日米軍事同盟の帝国主義的階級同盟としての反人民的本性を満天下に暴きだせ！ ＜基地撤去・安保破棄＞をめざしてたたかおう！

こうした米日両権力者による対中国の先制攻撃体制構築の策動に反対するとともに、われわれは、ネオ・スターリン主義中国による「台湾併呑」のための威嚇的軍事行動にも断固として反対しようではないか！

台湾・日本などの人民に核ミサイルを突きつけ、「台湾併呑」をねらって反人民的な軍事強硬策を展開するネオ・スターリニスト習近平政権を断じて許すな！

習近平政権の圧政に呻吟する中国の労働者・勤労人民に、自国政府の戦争政策に反対する闘いへの決起を呼びかけつつたたかおう。

米日両帝国主義と中国ネオ・スターリン主義との相互対抗的な軍事的応酬こそが東アジアにおける戦争的危機を日々高めているのであって、われわれは米日と中国とのこうした軍事的応酬に反対することをも大軍拡法制定阻止の闘いの任務とするのでなければならない。

朝鮮半島における米日韓と北朝鮮との熱核戦争勃発の危機を突き破れ！　北朝鮮・金正恩政権による弾道ミサイル発射反対！　米日韓の威嚇的軍事行動反対！　対北朝鮮の準臨戦態勢強化を許すな！

米日―中露激突下の世界大戦勃発の危機を突き破る革命的反戦闘争をまきおこそう！

岸田政権・自民党による憲法改悪を絶対に阻止せよ！「戦争放棄」「戦力不保持」を謳う憲法九条の改悪阻止！「緊急事態条項」の創設反対！　憲法審査会での改憲条文案の策定＝改憲発議を許すな！

政府・自民党は、公明・維新・国民の改憲翼賛議員どもとともに、早期の改憲発議を企んでいる。もはや一刻の猶予もない。ブルジョア議会における「野党共闘」の妄想に浸る日共中央による議会主義的闘争歪曲を打ち破り、労働組合・学生自治会の団結を強化し、すべての職場・学園・地域から改憲阻止の巨大な闘争をまきおこそう！　戦闘的・革命的労働者は、改憲を尻押しする「連合」労働貴族による闘争抑圧を許さず職場深部から改憲・大軍拡阻止の闘いを創造するために奮闘しよう！　全学連のたたかう学生は、この戦闘的・革命的労働者と連帯して、決意も固く闘いに起て！

＜戦争をやれる国＞への飛躍をねらう岸田政権のネオ・ファシズム反動攻撃を打ち砕け！　自民党議員どもは、〝首相・内閣に「緊急政令発布」の権限を付与せよ〟などとほざいている。そのねらいは労働者・人民を総動員するために、首相・内閣が、かつて「全権委任法」によって行政府に立法権を握らせたナチスのヒトラー同様の権限を手にすることにある。この画歴史的攻撃を打ち砕くためにわれわれは、＜反安保＞とともに＜日本型ネオ・ファシズム支配体制の強化反対＞を高く掲げようではないか！

＜プーチンの戦争＞を打ち砕け！

われわれは、＜プーチンの戦争＞を打ち砕くウクライナ反戦闘争をさらにまきおこそう！

ウクライナの労働者・人民はいま、ウクライナ軍と一体となって、東南部から侵略軍を叩き出し解放するための一大攻勢にうってでようとしている。たたかうウクライナ人民と連帯してたたかおう！

追いつめられたプーチンによる首都キーウへのミサイル攻撃を許すな！　東南部のウクライナ人民を侵略軍に強制動員したり、ロシアに強制連行したりするというプーチンの犯罪を弾劾せよ！

ウクライナ人民の戦いが重大な局面を迎えるこのときに、日共中央は、「ＮＡＴＯの方が悪い」とほざいて侵略者プーチンを免罪するオールド党員におもねって、ウクライナ反戦闘争から完全に召還をきめこんでいる。また自称「左翼」や労組指導部のなかには、「ウクライナは武器を置いて停戦しろ」などと主張する者たちがいる。彼らがこうした腐敗しきった対応をとっているのは、まさに彼らが、ウクライナの都市を破壊し、人民を拷問・陵辱・殺戮し、子供たちを強制連行するという現代のヒトラー・プーチンのこの世紀の犯罪にたいする怒りも、侵略者から祖国と人民を守り抜くために命がけで戦うウクライナ人民の側に立つことも完全に欠如しているからにほかならない。

すべての諸君！　われわれはこうした既成指導部の腐敗をのりこえ、スターリニストの末裔プーチンのウクライナ侵略を打ち砕く反戦闘争を断固として推進しよう！　まさに日本の地においてこうした闘いを推進することが、そしてこの闘いを全世界に波及させることこそが、ロシアの軍事侵略を打ち砕く力となり、また侵略軍を撃破するために命がけで戦うウクライナ人民への熱烈な檄となり連帯となるのだ。

そして同時にわれわれは、ロシアの、そしてウクライナの人民に、次のことを呼びかけつつたたかおうではないか。

ロシア人民は、プーチン政権が打ちおろす強権的弾圧に抗し、〈プーチンの戦争〉に反対する闘いに起ちあがろう！　侵略軍の兵士はその銃口をプーチンに向けよ！

プーチンを頭とするＦＳＢ強権体制の暗黒支配を打ち破ることなしに、ロシア人民が「悲惨なロシア」を突きぬけみずからの未来をひらくことはできない。父祖たちがたたかった「一九一七年」の精神を〈いま・ここ〉で呼びさまし、ソ連邦の国有財産の簒奪者たるプーチンの打倒めざして前進しよう！

ウクライナ人民は、プーチン・ロシアによる軍事侵略を打ち砕く戦いを、労働者・人民の団結をつよめてさらにおしすすめよう。プーチン政権に抗するロシア人民と連帯して、侵略軍をウクライナの東南部から叩き出せ！

そしてこのウクライナ人民の戦いに鼓舞されて、ロシアにおいて「侵略戦争を内乱に転化する」戦いが呼び起こされた時には、まさにその時には、ウクライナの労働者・人民は、一九一七年革命に合流したあの精神をよみがえらせ、戦争も貧困も圧政もない真実の共同体をユーラシアの大地にうちたてる道にむかって進もう！　それこそが、核をもふりかざして、崩壊したソ連邦の版図を二十一世紀に回復せんとする現代のヒトラー＝プーチンの蛮行にたいする真のプロレタリア的解決の道なのだ。

こうした呼びかけを発しつつ、わが革命的左翼は断固としてたたかいぬこうではないか！

全学連・反戦青年委員会のすべてのたたかう労働者・学生の諸君！

岸田政権は労働者・人民の反対の声をふみにじり、原発推進法、マイナンバー関連法の制定を強行した。国会会期末までに岸田政権は、大軍拡二法案、さらには難民認定申請中の外国人を無慈悲に叩き出す入管法改定案といった極反動法案を一挙におしとおそうとしている。反動性をむき出しにする岸田日本型ネオ・ファシズム政権を労働者・人民の闘いのうねりで包囲せよ！

改憲・大軍拡の一大攻撃を粉砕する反戦反安保・改憲阻止の闘いの大爆発をかちとれ！　〈プーチンの戦争〉を打ち砕け！

岸田政権の反動攻撃に反対する一切の闘いを集約し、岸田日本型ネオ・ファシズム政権打倒めざしてたたかおう！

（二〇二三年六月四日）

米比合同演習バリカタン
対中包囲網へのフィリピン抱き込み

台湾に近接するフィリピンで、アメリカ・フィリピン両軍が合同軍事演習「バリカタン」を過去最大規模（一万七六〇〇人）で開始した（四月十一〜二十八日）。ＥＡＢＯ（遠征前進基地作戦）構想にもとづくこの演習で米比両軍は、「相互運用性と即応性を高める」ことを謳った。中国軍艦艇と見立てた退役艦をハイマースを使って撃沈したり、「離島防衛・奪還」訓練を実施したりしている。

この演習に合わせて米・比の権力者は、ワシントンで「2プラス2」を七年ぶりに開催した。バイデン政権は「台湾海峡の平和と安定の維持の重要性」を強調し、「強固な米比協力を日・豪を含む多国間のネットワークに統合していく」（米国防長官オースティン）と表明した。フィリピンと「バリカタン」に参加する日・豪とともに対中国の軍事的連携を強化していくことを確認しあったのだ。

バイデン政権は、習近平・中国による台湾侵攻を阻止するために、このかん沖縄・南西諸島を経てフィリピンにいたるいわゆる「第一列島線」に沿って、中国と対峙する〝弧〟を〝軍事要塞化〟するミサイル配備に血道をあげてきた。この〝弧〟の南端にあたるフィリピンのマルコス政権を対中国包囲網に組みこむために、経済的援助をテコにして、軍事的にもヨリ深く協力させる追求を強化してきたのである。

フィリピンの前ドゥテルテ政権は、最大の貿易相手国である中国との経済的関係を維持することを重視し、アメリカと「防衛協力強化協定（ＥＤＣＡ）」（註）をとり結んでいながらも安全保障の分野においてはヌエ的にふるまった。だが、昨年六月に発足したマルコス政権は、南沙諸島（スプラトリー諸島）など南シナ海での領有権を争う中国にたいして「一インチも領土で譲らない」というメッセージを発信した。

これをチャンスと見てとった米バイデン政権が、安全保障にからめて経済、食料・エネルギー、気候変動対策などで支援することをおしだして、マルコス政権を抱きこむことに血道をあげた。昨年十一月に副大統領ハリスが、今年二月には国防長官オースティンがあいついでフィリピンを訪れ、マルコス政権にアメリカとの関係強化を迫り、すでに締結している「ＥＤＣＡ」にもとづいて、「台湾有事」を念頭においた米軍の拠点を新たに四ヵ所追加することを確約させたのである。

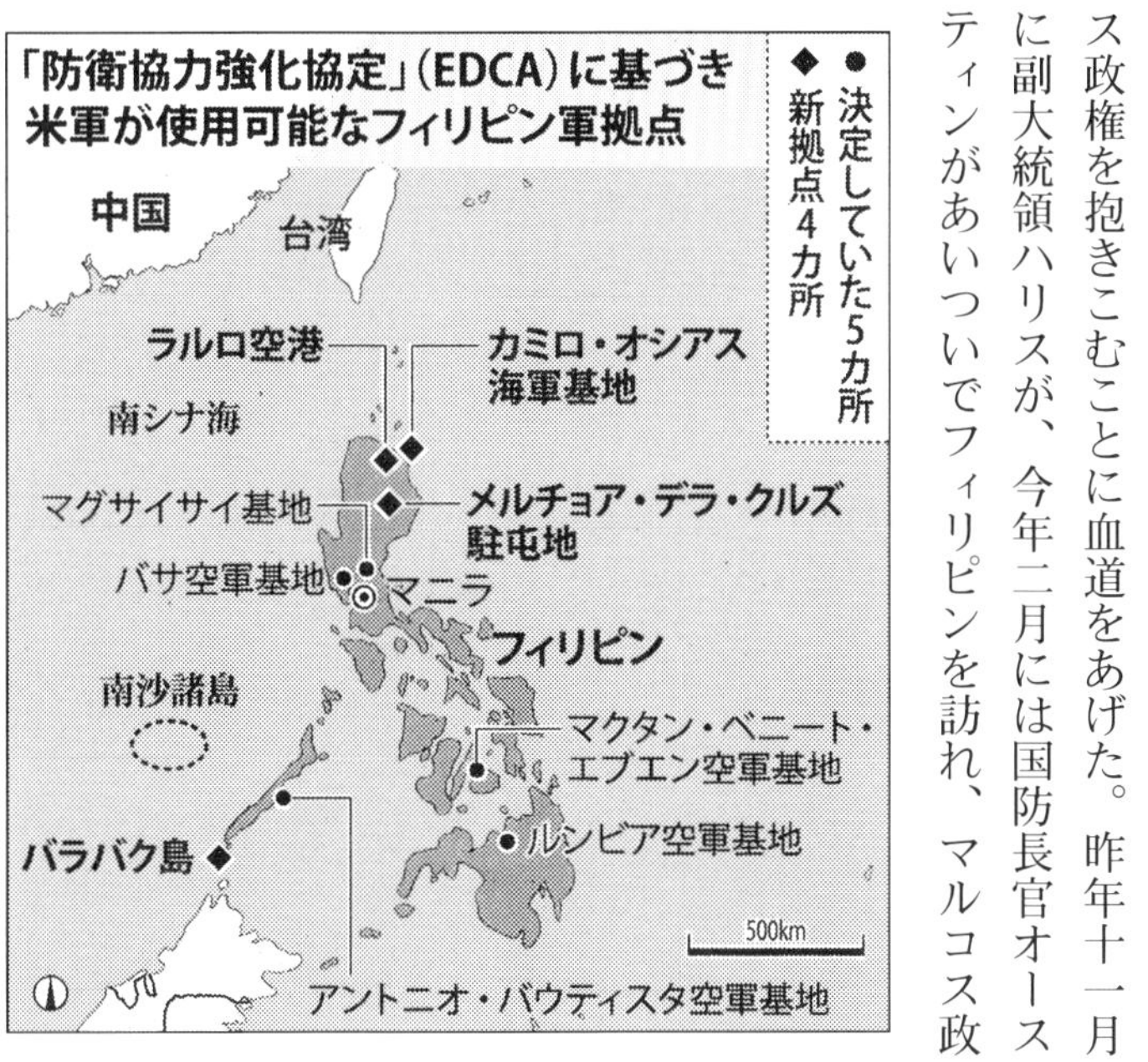

台湾に最も近いルソン島北部に三ヵ所、南沙諸島に近いバラバク島に一ヵ所である。カガヤン州のカミロ・オシアス海軍基地と民間のラルロ空港、そしてイサベラ州のメルチョア・デラ・クルズ陸軍駐屯地などルソン島北部の拠点から、ルソン海峡を隔てて台湾までの距離はおよそ三五〇キロメートル足らず。台湾と宮古島ほどの距離である。南沙諸島にもっとも接近している南西部パラワン州のバラバク島は、南沙諸島から約三〇〇キロメートルの場所だ。

バイデン政権は、これらの拠点に米軍をローテーションで配備し、ミサイルやハイマースなどの武器・弾薬や通信機器、燃料などを備蓄するとともに、フィリピン軍との相互運用をつうじて「台湾有事」に即応できる戦略的要衝としてつくりだそうとしている。今回の「バリカタン」演習をルソン島北部海岸を中心に実施したのはそのためなのだ。

マルコスの対米接近に危機意識をつのらせているのが習近平の中国だ。米・比「2プラス2」の合意にたいして、「域外勢力に迎合しても、緊張を高め、自分自身に災いがおよぶ」とマルコス政権を恫喝した。経済的利害をタテにして、揺さぶりをかけたのだ。

これをうけて、ルソン島・カガヤン州のマヌエル・マンバ知事は「有事になれば米中の対立に巻きこまれる恐れがある。フィリピンは中立を維持すべきだ」と異議を唱えた。政権内部からも、マルコスの姉で上院外交委員長アイミー・マルコスが「自分たちのものではない戦争に参加できない」と、台湾有事にフィリピンが巻きこまれることへの異論を表明した。これにたいしてマルコスは、「米軍は恒久的に国内に駐留するものではない」とか「巡回駐留を認めればフィリピンが支援を受けることができる」とかと弁明。四月下旬には中国外相・秦剛の訪比を受け入れ、南シナ海における「対立」に「対処」するために両国が協力することを確認したのだ。

こうして、「台湾有事」をにらんだアメリカの対中国の〝ミサイルの壁〟の一角に組みこまれたフィリピンをめぐっても、いま米・中の角逐が激化している。東アジアにおける一触即発の軍事的緊張がますます高まっているのだ。

註　米比防衛協力強化協定（ＥＤＣＡ）

二〇一四年に、「アジア太平洋へのリバランス」政策をうちだしていたアメリカ・オバマ政権時に調印された。

南沙諸島の領有権をめぐって中国と対抗するために米軍の再配備を求める動きが発端となり、米比両軍の相互運用性の向上、比軍の強化を基本に、海洋安全保障および人道支援・災害対応も絡めて締結された。現在のフィリピン憲法では「外国の軍事基地を認めていない」が、米軍のフィリピン軍用地への立ち入りと基地の使用・物資の事前集積を認め、運用権は保障されることになった。

この協定にもとづいて二〇一六年に五ヵ所が設定されたが、マニラ周辺や南部方面に分散していた。

岸田政権の反動諸法制定を弾劾せよ

大軍拡「財源確保法」の制定を阻止せよ

「復興特別所得税」収入を軍事費に転用

岸田政権は今国会において、巨額の軍事費をなんとしても確保するために軍事費財源確保法を成立させようと躍起になっている。労働者・人民に犠牲を強いるこの反動法の成立を絶対に許すな。

〔この法律は六月十六日に参院本会議で成立させられた。〕

岸田政権は、昨二〇二二年十二月に閣議決定した「安保三文書」にもとづいて、敵基地先制攻撃体制構築を基軸とする軍事強国化に突進している。アメリカ製殺戮兵器「トマホーク」の大量購入、長射程ミサイルの開発・配備などの財源として、二〇二三年度の軍事予算を六・八兆円に大増額した。

首相・岸田文雄は、今後五年間で総額四三兆円を軍事費に投入し、二〇二七年度にはＧＤＰ比二％の一一兆円に倍増(二二年度比)するとぶちあげている。この額は、アメリカ・中国に次ぐ世界第三位に相当する！　この莫大な軍事費を確保するために、岸田政権が今国会での成立を狙っているのが大軍拡「財源確保法」である。その柱として五兆円強の「防衛力強化資金」を創設し、そのうち三・五兆円を決算剰余金や歳出改革で充当し、残り一兆円強を増税で補填すると岸田は公言している。岸田政権は大軍拡のための財源を捻出するために労働者・人民に重犠牲を強制する攻撃にうってでようとしているのだ。

まず第一に、膨大な軍事費を確保するために岸田政権は、所得税、法人税、たばこ税の増税を企んでいる。狂乱的な物価高と大幅な賃下げによって貧困と生活苦にあえぐ労働者・人民にたいするいっそうの課税強化を狙っているのだ。

東日本大震災の「被災地復興」を名目として二〇一三年から所得税に二・一％の税率を二十五年間を期限として上乗せし徴収している「復興特別所得税」。その課税期間を十四年も延長し、その増税分を軍備増強の財源に充てると岸田は言い放っている。震災から十二年余、今なおさまざまな困難を抱える多くの被災民をそっちのけにして、「復興」の名で徴税したカネで戦車・軍用機・ミサイルを買うと傲然とほざいているのだ。この被災民、労働者・人民を踏みにじる策動を絶対に許すことはできない。

岸田は、法人税増税は独占資本家どもの顔色をうかがい早々にひっこめ、あくまでも労働者・人民に追加課税しようという魂胆だ。これらの大衆収奪を突破口にして、さらに〝広くあまねく安定的に徴収できる〟消費税の税率引き上げを狙っているのだ。

第二に、岸田は、新設する「防衛力強化資金」に国立病院機構や地域医療機能推進機構の積立金を繰り入れると言明している。病院・医療関連の積立金まで軍事費に充てようというのだ。徹頭徹尾、労働者・人民を足蹴にするものではないか。

第三に、岸田政権は、今年度予算で建設国債四三四三億円を発行し軍事費にまわすことを決定した。軍事費の調達に政府が国債を発行するのは戦後初めてのことだ。かつて軍国主義日本の政府権力者が国

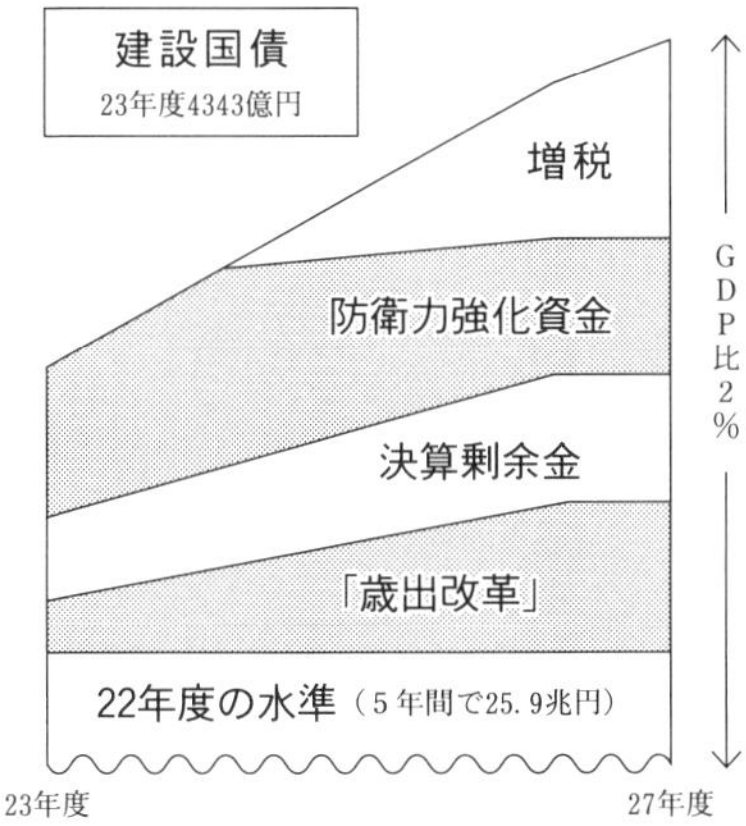

5年間で43兆円の大軍拡の企み

建設国債
23年度4343億円
増税
防衛力強化資金
決算剰余金
「歳出改革」
22年度の水準（5年間で25.9兆円）
GDP比2％
23年度
27年度

債を大量発行して軍備を増強し侵略戦争に突き進んだのと同様の道を遮二無二盲進しているのが岸田政権だ。人民から血税をしぼりとり、天井知らずの国債＝借金を人民にツケ回しながら、空前の規模の軍事費を積み上げるために狂奔する岸田政権の暴挙を断じて許すな！

先制攻撃体制の構築・軍事強国化に反対せよ

プーチン・ロシアによるウクライナ侵略戦争を決定的契機として、全世界的な核軍拡競争が激化している。ウクライナに軍事侵略したロシアの蛮行、東アジアにおける中国の台湾併呑の策動、北朝鮮のたび重なる弾道ミサイル発射。これらを〝絶好のチャンス〟とみてとった岸田政権は、ここぞとばかりに国防イデオロギーを鼓吹しながら、日本の軍事強国化に突進している。そのための諸法を今国会で次々と成立させることに血眼となっているのだ。

大軍拡のための「財源確保法」とワンセットでその成立を企んでいるのが軍需産業基盤強化法だ。連休明けの衆議院本会議において岸田政権が強行可決したその法案には、自衛隊の武器・弾薬を製造・供給する企業の施設を国が買い取り兵器廠をつくるほか、防衛装備品＝武器の輸出にかかわる経費を国が負担するなど軍需独占体への経営支援にのりだすことを明記している。〈戦争をやれる軍事強国〉を支える軍需独占体を国家主導で保護するとともに、兵器生産や先端軍事技術開発を担う軍需産業を振興・育成することを目的としている。この法案の衆議院採決に、「防衛力の基盤強化に異論はない」などとほざいて賛成したのが立憲民主党だ。この野党の犯罪的対応によって法案は可決され参議院に送られたのだ。

岸田政権がうちおろす大軍拡攻撃を阻止せよ。「防衛力強化」に賛同する「連合」指導部や「反安保」を放棄する日本共産党中央、これらの犯罪的策動を弾劾し、労働者・人民の団結力をもって岸田極悪政権の一大攻撃を粉砕しよう。

軍需産業基盤強化法の制定弾劾！

岸田政権は二〇二三年六月七日、参院本会議において、「防衛装備品生産基盤強化法案」の採決を強行し成立させた。軍需産業への国家の全面的支援を定めたこの法律は、五年間で四三兆円もの軍事費を確保することを謳った軍拡財源法と一体のものである。

米バイデン政権は、核軍事力の大増強に突きすすむ中国に対抗するために、対中国の最前線に位置する日本の岸田政権に、日本国軍の強化と軍需生産の拡大を迫っている。また軍需部門の衰退にあえぐ日本の独占資本家どもは、「防衛産業を成長産業にせよ」と、岸田政権にたいして国家的支援を要求してきた。

この米政府の要請と日本独占資本家の要求に全面的に応えて、岸田政権は、「防衛生産・技術基盤は防衛力そのもの」である(国家安全保障戦略)と宣言し、日本の軍事強国化を支える軍需産業を再建し・大々的に興隆するために、この法律の制定を強行したのだ。われわれは、国家をあげて軍需独占体を支援することを謳うこの極反動法の制定を断固として弾劾する。

軍需産業への国家による全面的支援

制定された軍需産業基盤強化法の特徴は以下の点

にある。

まず第一に、防衛産業への国家の全面的な資金援助を謳いあげていることである。武器類の「安定製造の確保」を目的として、「製造工程の効率化」や「サプライチェーンの確保」や「サイバーセキュリティ強化」などにとりくむ企業にたいして、政府が直接的に財政支援をおこなうとしているのである。

第二に、軍需生産から撤退しようとしている企業・部門の国有化を明確にしていることである。政府が支援をおこなってもなお経営者が軍需生産から撤退することを決定した場合には、国家が当該企業の施設・設備を「一時的に」取得し、他の企業に「管理・運営」を委託するとしている。この場合「維持管理費は国が負担する」というのである。

第三に、納入先が防衛省・自衛隊に限られてきた〝日本の軍需産業の弱点〟を克服するとして、武器輸出の促進策を明示していることである。兵器を他国に輸出する際に、輸出先の要請に応じて仕様・性能を変更する必要が生じた場合には、その費用を国家が助成金として支出するとしている。「殺傷能力のある武器は輸出できない」としてきた「防衛装備移転三原則」の運用指針の改定にもふみだしているのだ（六月三十日に自民・公明が合意）。

第四に、軍需産業で働く労働者に〝秘密保持義務〟を強制していることである。「防衛装備品等秘密」を指定し、これにかんする情報を漏らした者には、「一年以下の拘禁」または「五〇万円以下の罰金」を科すとされている。教唆や幇助も対象とされ、国家が労働者の一挙手一投足を管理する体制をつくりだそうとしているのである。

以上のように、軍需産業を国家が丸抱え的に育成していくことを定めているのである。

軍事強国化を支える産業基盤確立への突進

ロシアのウクライナ侵略は、米—中・露の角逐を激化させ、東アジアにおいても、米・日・韓と中・露・北朝鮮の軍事的角逐が激化し、台湾や朝鮮半島を焦点として戦争勃発の危機が高まっている。このもとで岸田政権は、アメリカとともに対北朝鮮・対中国の先制攻撃をもなしうる軍事強国への飛躍をめざして、五年間で四三兆円もの巨費を投じて自衛隊の増強をはかるとうちだしている。

この自衛隊の装備強化を、アメリカからの兵器の大量購入でまかなうとともに、日本の軍需産業の再興・強化の契機として最大限に活用しようとしているのが岸田政権である。長射程のスタンド・オフ・ミサイルの導入にかんしては、トマホーク四〇〇発をアメリカから輸入するだけでなく、12式地対艦誘導弾の能力向上型の開発を二五年度までにおこなうように三菱重工に発注するなど、装備の国産化拡大をめざしている。また、ロシアのウクライナ侵略を口実として、「継戦能力の向上」の名のもとに、弾薬などの量産のための「国内製造態勢の拡充」を軍需独占体に要請している。

他方、バイデン政権は、アジア太平洋に展開する在日米海軍の艦船を日本の造船所で整備・補修できるように岸田政権に働きかけている。対中国の有事即応性を高めるために、これまでアメリカ本国でおこなっていた本格的な整備・補修を日本で恒常的におこなうというのだ。これは、没落帝国主義アメリカが、中国を封じこめるために、同盟国・パートナー国の軍事力・経済力を最大限に活用するという「統合抑止」戦略にもとづく。バイデン政権は、人手不足や部品不足で補修されないまま放置されている艦船が多数存在するというアメリカ造船業の衰退のもとで、艦船の増産に走る中国が今後数年でアメリカに一〇〇隻近くの差をつけるとされている苦況を突破するために、日本をはじめとした同盟国を動員しようとしているのだ。

このバイデン政権の要請を、日本政府・独占ブルジョアジーは、日本造船業の活性化を促すものとしてもろ手をあげて歓迎している。そして〝将来、日米共同開発の艦船を日本で建造することにつながるかもしれない〟などと期待をふくらませているのだ。

バイデン政権は、航空・宇宙や原子力などの高度軍事技術の領域においては、これまで同様にあくまでもアメリカ軍需産業の下請けとして、「属国」日本の軍需・民需の諸産業を活用しようとしているのだ。先の補修要請の米艦船には、原子力空母や原子力潜水艦は含まれていない。また戦闘機の開発・製造にかんしても、アメリカ政府・軍需独占体は、東レの炭素繊維複合材料などを機体の製造に不可欠の材料として使用しているのであるが、戦闘機の核心技術をなすエンジンの製造などの部門からは日本の企業を排除しているのである(註)。それゆえにいま日本政府・軍需独占体は、次期戦闘機(F3)のイギリス・イタリアとの共同開発にのりだしているのである。

武器輸出の一挙的拡大

また岸田政権と軍需独占体は、武器輸出の一挙的拡大にのりだそうとしている。すでにこの四月、岸田政権は「同志国」にたいする「OSA(政府安全保障能力強化支援)」なるものを新設した(本誌本号の「OSA新設」を参照)。さらに自民・公明両党は、「防衛装備移転三原則」の運用指針見直しのための協議を連続的に開催し、輸出規制を緩和しようとしている。現在、①救難、②輸送、③警戒、④監視、⑤掃海の五類型に限るとしている輸出品目に、「哨戒」や「地雷除去」や「教育訓練」などを追加するというのだ。「教育訓練用」と銘打って、「OSA」の名において格安・無償で航空機や船舶なども幅広く輸出しようと画策しているのである。

さらに岸田政権は、「部品の提供」という名目で、自衛隊が保有している一〇〇機のF15の中古エンジンをインドネシアに輸出することを計画している。そして自衛隊はロッキード・マーチン社製のF35をアメリカから大量に輸入する。つまり、アメリカが日本に最新鋭の戦闘機を輸出し、玉突き的に日本が中古の戦闘機部品を東南アジア諸国向けに仕様・性能を変更して輸出するというわけである。米・日両権力者は、東南アジア諸国を対中国の政治的・軍事的包囲網に組みこんでいくことをたくらんで、両国が連携しての武器輸出に拍車をかけているのである。

こうした軍需生産の拡大を日本経済の活性化のテコとして活用しようとしているのが岸田政権・日本独占資本家どもである。今日、半導体や量子技術やAI(人工知能)や宇宙開発などの最先端の技術分野は、軍事目的で開発された技術がすぐに民間用に利用され、民間で開発された技術がただちに軍事利用される状況となっている。それゆえに彼らは、日本経済の再生をもたくらんで軍需生産の拡大に走っているのである。そして他方で彼らは、「デュアルユース(軍民両用)」という甘言を弄して、軍事技術開発への参加を拒否する科学者や技術者を軍事技術の研究・開発にまきこもうとしているのである。

われわれは、政府・独占資本家どもによる軍需生産の拡大に断固として反対したたかうのでなければならない。企業の発展を第一義として軍需生産の拡大を翼賛する「連合」労働貴族を弾劾せよ。＜経済の軍事化反対＞をも掲げて、反戦反安保・改憲阻止の闘いを推進せよ。

註　現在の日本の主力戦闘機F2は準国産をめざしていたがアメリカの圧力で日米共同開発となった（一九八八年）。F2は一九九五年に初飛行し二〇〇一年に自衛隊への導入が開始された。そして小泉政権時代の二〇〇四年に、当初一三〇機調達する計画であったものが九十八機に減らされた。これ以後日本は戦闘機の国産体制を維持することができなくなった。

ＯＳＡ新設――恒常的な途上国軍事援助を制度化

岸田政権は二〇二三年四月五日、国家安全保障会議（ＮＳＣ）会合において、「同志国」の軍にたいする防衛装備品援助の枠組みと称する「政府安全保障能力強化支援（ＯＳＡ＝Official Security Assistance）」なるものを新たに設けた。すでに今二三年度予算において二〇億円を計上。最初の援助対象候補としてフィリピン、マレーシア、バングラデシュ、フィジーがあげられている。

非軍事を建前とする「政府開発援助（ＯＤＡ）」とは別枠で、外国軍への軍事援助を恒常的におこなうことの制度化に踏みきったことは、従来の政府がなお越えてこなかった一線を大きく越えたものといわねばならない。

中国・ロシアのいわゆる「力による現状変更」の策動に直面している岸田政権は、これに対抗するために、「同盟国・同志国間のネットワークの重層的構築」をうたう「国家安全保障戦略」にもとづいて、「グローバル・サウス」にぞくする特定の国々との政治的・軍事的関係の強化に突進している。なかんずくフィリピンのマルコス政権とのあいだでは、――フィリピンとの軍事同盟関係強化をはかるアメリカ帝国主義バイデン政権とともに――米比合同軍事演習への日本の参加など、日米比三ヵ国の軍事的協力関係を一気に深化している。このような策動の一環として政府は、いまや公然たる軍事援助のための制度を新設したのだ。

〔さらに政府はこのＯＳＡ新設とあわせてＯＤＡの運用指針「開発協力大綱」も改定（六月九日閣議決定）し、相手国からの要望にしたがっての援助だけでなく・日本政府の側から支援内容を提案する「オファー型」支援なるものを新たに位置づけた。これも、ＯＤＡを今後は「同志国」をひきよせるための手段として活用してゆく意図を示したものにほかならない。」

ＯＳＡにもとづく初回の「援助」項目として政府は「衛星通信システム」や「無線システム」をあげているが、これは序の口にすぎない。

岸田政権は「ＯＳＡは防衛装備移転三原則の枠内で行なう」などと、さも〝抑制的〟なものであるかのような装いをこらしているのであるが、いま自民党は、公明党とともに、この「三原則」およびその運用指針の見直しの協議をおしすすめている。その旗を振っているのは〝戦闘機や護衛艦も輸出できるようにせよ〟と叫ぶ自民党「国防族」である。政府・自民党は「ＯＳＡ」発足にあわせて「防衛装備移転三原則」（それじしんがかつての「武器輸出三原則」を大幅に緩和したものなのであるが）という〝制約〟そのものを取っ払い、文字通りの〝殺傷兵器〟の大々的な供与に道をひらくことをたくらんでいるのだ。当然、今年度予算のうちＯＳＡに割かれた「二〇億」という額も、次年度いこう激増させてゆくハラにちがいない。

日本がフィリピン沿岸警備隊に供与した巡視船の就任式（22年5・6）

こうした新制度創設はもちろん、他面では、〈戦争をやれる軍事強国〉にふさわしく、軍需産業を政府主導で育成してゆくという策動とむすびついていることはいうまでもない。日本の戦争遂行を支える〝死の商人〟にたいして、「同志国支援」にかこつけて血税を投入しボロ儲けさせようというわけなのだ。

いま、とりわけ「グローバル・サウス」諸国をターゲットにして、米・欧と中国との武器輸出競争が激化し、地域紛争の火種が日々ばら撒かれている。この競争に日本国家としても参入し、「武器輸出大国」として飛躍してゆく――そのような道への扉を開いたのが岸田政権による「ＯＳＡ」なるものの創設にほかならない。断じて許すな！

原発推進法の制定を弾劾せよ

二〇二三年五月三十一日の参議院本会議において、岸田政権は、「GX脱炭素電源法案」を、自民党・公明党および日本維新の会・国民民主党などの賛成多数をもって可決・成立させた。原発の推進をうたうこの法律の制定は、東京電力福島第一原発事故いご「可能な限り原発依存度を低減する」ことを建前として歴代政府がとってきた原子力政策の大転換を画すものにほかならない。われわれは、岸田政権による「脱炭素」を名分としたこの原発推進法の制定を満腔の怒りを込めて弾劾する。

原子力基本法や原子炉等規制法など五法の改定項目を束ねた「GX脱炭素電源法」の特徴は以下の点にある。

まず第一に、「原則四十年・最大延長二十年（最長六十年）」としてきた原発の運転期間を延長したことである。原子力規制委員会の審査や裁判所の仮処分命令で停止していた期間を運転延長できる期間に追加した。運転開始から六十年超の老朽原発の運転を認めるという原発の危険性をいっそう増大させる改悪が強行されたのだ。

しかも、この運転期間の延長を認可する行政組織を、規制委から経済産業省に移管した（運転期間を規定する法律を原子炉等規制法から電気事業法に移行）。こうして、福島第一原発事故の「教訓」の名のもとに原発推進を所管する経産省から一応は「独立」した機関として設置された規制委は、かつての

「原子力安全・保安院」と同様の経産省の下請け機関に実質上改変されたのである。

第二に、原子力基本法に原子力利用の推進を「国の責務」などと明記したことである。原子力開発を、莫大な国家資金を投入して国家プロジェクトとして推進していくことを宣言したのである。〔この資金を調達するために岸田政権は、総額二〇兆円規模の「GX経済移行債」の発行などを柱とする「GX推進法」を五月十二日に成立させている。〕

改定法においては、地域住民や国民の「原子力発電に対する信頼を確保」することや、「原子力事業者」の「事業環境の整備」が「国の責務」だとされている。岸田政権は、いまみずからがおしすすめている原発リプレース・新増設や核燃料サイクル開発の策動を、そしてそのために地域住民を〝札束でほおをひっぱたく〟手法で丸めこんだり原発推進のキャンペーンを張ったりすることを「国の責務」として正当化しようとしているのだ。

わが革命的左翼を先頭とする原発・核開発反対闘争の推進と労働者・人民の圧倒的な「原発反対」の声に直面して原発の推進を抑えこまれてきた日本政府・独占ブルジョアジーは、いまロシアのウクライナ侵略によるエネルギー危機への対処と地球温暖化対策を恰好の口実として、原発の新増設や核燃料サイクル開発などに狂奔している。この策動に法的基礎づけを与えるために、彼らは原発推進法の制定を強行したのである。

大軍拡と一体の原発・核開発を打ち砕け

ロシアのウクライナ侵略を契機として米―中・露角逐が激化し、東アジアにおいても台湾・朝鮮半島を焦点とした米・日・韓―中・露・北朝鮮の熱核戦争勃発の危機が高まっている。このもとで、<アメリカとともに戦争をやれる軍事強国>への飛躍をかけて大軍拡をおしすすめている岸田政権は、これと一体に原発・核開発に拍車をかけているのだ。

昨年末にこの政権が策定した「国家安全保障戦略」においては、「総合的な防衛体制の強化」の名のもとに、軍事力と「不可分一体」のものとして

「エネルギー安全保障」や「経済安全保障」が掲げられ、この中核に原発の開発・利用が位置づけられている。

それだけではない。核軍事力の大増強に走るネオ・スターリニスト中国や核・ミサイル実験をくりかえす北朝鮮と最前線で対峙している日本帝国主義の岸田政権は、独自核武装への衝動を高めているのだ。全世界的な戦乱勃発の危機の高まりのもとで、イランやトルコやサウジアラビアなどが核武装に向けた策動を強化し、韓国の尹錫悦政権も独自核武装をほのめかしはじめた。こうした情勢のもとで岸田政権は、没落するアメリカ帝国主義が日本への〝核の傘〟を提供しつづける保証はないと疑心暗鬼を募らせ、独自核武装の野望をたぎらせているのである。

岸田政権の意を受けて、原子力規制委は原子力研究開発機構の高速実験炉「常陽」の再稼働を認める判断をくだした(五月二十四日)。岸田政権は、「平和利用」の名のもとに、核兵器開発に必要な高純度のプルトニウム同位体の製造に適した高速炉の開発や、このプルトニウムを分離するのに必要な核燃料再処理技術の開発にやっきになり、潜在的な核兵器製造能力の強化に狂奔しているのである。

原発再稼働・運転期間の延長反対！　原発推進と一体の大軍拡を阻止せよ！　すべての原発・核燃料サイクル施設を即時停止し廃棄せよ！

〔本誌掲載の関連論文〕

〈特集　3・11福島第一原発事故から十二年〉
（以下特集論文　第三二四号）

・軍事強国日本のエネルギー安保確立への突進　田辺敏男
・原発の運転期間延長・新増設推進の閣議決定を弾劾せよ　桑野　進
・危険極まる原発の運転期間延長
・志賀原発再稼働を策し「活断層認定」を否定　笠舞　徹
・福島に軍事技術開発拠点構築の策動　浜風　通
・放射能汚染水の海洋放出を許すな
・東電福島第一原発「四十年廃炉」計画の破綻　栗本誠也

マイナンバーカード取得強制を粉砕せよ

二〇二三年六月二十一日、首相・岸田文雄は、労働者・人民の怒りと不信の声を傲然と踏みにじって、現行の健康保険証廃止とマイナンバーカード取得の義務化をあくまでも強行することを宣言した。われわれは、「令和版デジタル行財政改革」の名のもとに労働者・人民の総監視＝総管理体制を強化するマイナンバーカード取得義務化を断固として粉砕しようではないか！

この岸田政権の策動にたいする労働者・人民の怒りの声は、全国各地において日に日に高まっている。毎日のように、保険医療・年金などマイナンバーカードにまつわる深刻なトラブルが頻発しているのだ。病院窓口においてマイナ保険証を利用できず「十割負担」を強いられた事例は一二九一件、別人の医療情報がひもづけられた「誤登録」は七三〇〇件超、公金受取口座に別人の口座が誤登録された事例は実に一三万件におよんでいる。労働者・人民の生活に欠くことのできない医療・保険・年金などを脅かすトラブルに見舞われている労働者・人民の怒りと不信が高まり、マイナンバーカードの返納が相次いでいる。

これを抑えこみ来年秋に現行保険証の廃止とマイナンバーカードへの一体化をなんとしても強行するために、岸田政権は、「トラブルの総点検」をおこなうと称して「マイナンバー情報総点検本部」なるものを立ちあげた。その本部長たるデジタル相・河野太郎はあいつぐトラブルにかんしてこうほざいた。「マイナンバーカードの仕組みやシステムに起因するものは一つもない」「問題は制度ではなく人為的ミスにある」と。この男は、マイナンバーカードにかんする誤記載・誤登録などのトラブルの一切を、事務手続きを担った自治体などの労働者のミスによって引き起こされたものだと強弁しているのだ。この犯罪的言辞をすべての労働者・人民は怒りを込めて弾劾せよ！

全国の自治体労働者らは、九七〇〇万人分を超えるマイナンバーカード発行手続きにともなう膨大な事務作業を遂行するために、連日連夜にわたって労働強化と超長時間労働を強いられている。岸田政権は、この膨大な事務作業を担っている労働者に一切合切の責任を転嫁して健康保険証のマイナカードへの一体化をあくまでも強行しようとしているのだ。この目論見をつらぬくためにこの政権は、「新型コロナ並みの対応をおこなえ」などと関係省庁・自治体当局に号令を発し、今秋までにカード取得者の「総点検」をおこなうことを強制している。

すべての労働者・学生・人民諸君！　全国であいつぐトラブルを招いた失策を居直る岸田政権を弾劾せよ！　労働者・人民の個人情報を国家のもとに一元的に管理することを狙ったマイナンバーカード取得の強制を断じて許すな！

強権的＝軍事的支配体制強化のための〝デジタル国民総背番号制〟

岸田政権は、全国民の医療、税・所得・口座、年金、子供・子育て、世帯情報、福祉・介護、雇用保険・労災など二十九項目におよぶ全個人情報（左頁の表）を、十二ケタの個人番号をもって国家が監視し管理するために、マイナンバーカードの取得義務化に拍車をかけている。さらに、このカードに運転免許証をも一体化することを企んでいる。〔五月からマイナカードのスマホ搭載が開始された。これは人民監視を一挙的に強化する策動だ。〕

明らかに、労働者・人民の生活実態、病歴、経歴、思想傾向を国家が把握し、「デジタル個人情報」として一元的に集約・管理する体制を、すなわち〝デジタル国民総背番号制〟を構築することを企んでいるのが岸田日本型ネオ・ファシズム政権にほかならない。それは、この政権がいま飛躍的におしすすめている日本の軍事強国化の策動と表裏一体の攻撃なのだ。

プーチン・ロシアによるウクライナ軍事侵略の強行、この世紀の蛮行を渡りに船として、岸田政権は、強大な核軍事力をバックとして台湾の早期併呑を策す習近平の中国やＩＣＢＭ開発・配備に狂奔する金正恩の北朝鮮にたいする先制攻撃体制の構築に突進している。この政権は、アジア・欧州にまたがるアメリカ主導のグローバルな対中国（対ロシア）包囲網の構築を最先頭で担う〝世界の軍事強国〟にのしあがらんとしている。まさにこの軍事強国・日本にふさわしい強権的＝軍事的支配体制の強化に突進しているのがこのネオ・ファシスト政権なのだ。

それだけではない。〝デジタル化の遅れを挽回せよ〟という独占資本家階級の要求を体して、岸田政権は「令和版デジタル行財政改革」を旗印としたマ

紐付けされる個人情報29項目

医療	1)**健康保険証**(保険者名、被保険者証記号など)
	2)**診療・薬剤**(診療内容や処方薬など)
	3)**医療費**(医療機関で支払った医療費)
	4)**予防接種**(BCGや新型インフルエンザなど)
	5)**特定健診・後期高齢者健診**(メタボなどの健診結果)
	6)**検診**(がんなど検診結果)
	7)**医療保険**(保険証の資格、高額療養費の給付など)
	8)**医療保険その他**(制度間の支給調整に使用される情報)
	9)**学校保健**(生活保護家庭向けに援助される医療費)
	10)**難病患者支援**(特定医療費の支給開始年など)
	11)**保険証の被保険者番号など**(保険証の券面に記載された情報)
	12)**医療保険情報が提供された状況や履歴**
税・所得・口座	13)**税・所得**
	14)**医療費通知情報**(医療機関で支払った費用)
	15)**公金受取口座**(銀行名や口座番号など)
年金	16)**年金**(年金支払額など)
	17)**年金その他**(年金生活者支援金など)
子ども・子育て	18)**児童手当**(支払額、支給年月など)
	19)**ひとり親家庭**(児童扶養手当など)
	20)**母子保健**(妊娠届の情報など)
	21)**教育・就学支援**(就学支援金の支給期間など)
	22)**障害児支援・小児慢性特定疾病医療**(給付や支援に関する情報)
世帯情報	23)**世帯情報**(住民票記録情報)
福祉・介護	24)**障害保健福祉**(障害者手帳など)
	25)**生活保護**(支給額など)
	26)**中国残留邦人等支援**(支援給付の開始年月日など)
	27)**介護・高齢者福祉**(介護保険に関する資格、給付など)
雇用保険・労災	28)**雇用保険**
	29)**労災補償**

イナンバー制度の構築に血眼となっている。事業規模二兆円ともいわれるマイナンバー関連事業には、ICT企業の独占ブルジョアどもが、ここぞとばかりに群がっている。NTTや富士通、パナソニックなどの情報通信独占体や電機独占体がそのシステム構築を担っている。また、「先進医療の開発」のためと称して、医療・製薬資本が一億人の医療・保険情報＝ビッグデータに群がっているのだ。「国民の利便性向上」なる謳い文句のもとに、岸田政権は、日本のICT独占体諸企業に膨大な利益を提供しようとしているのだ。

ネオ・ファシズム反動化阻止！ 軍事強国化反対！

われわれは、すべての労働者・学生諸君によびかける！ 「国民の利便性の向上」の名のもとに岸田政権がおしすすめようとしている健康保険証の廃止―マイナンバーカードの取得強制の策動が、軍事強国にふさわしい日本型ネオ・ファシズム支配体制を飛躍的に強化する一大攻撃であることを断固として暴きだせ！ マイナンバー制度を活用した国民総監視＝総管理体制の構築を許すな！

同時にわれわれは、岸田政権が「安保三文書」策定を区切りとしておしすすめている日本の軍事強国化と日米グローバル同盟強化に反対する反戦反安保闘争をおしすすめていくのでなければならない。

〈戦争を遂行する国〉への飛躍を狙う岸田政権のネオ・ファシズム反動攻撃を打ち砕け！ 岸田政権・自民党は憲法改悪の策動にいま一気に拍車をかけている。このかん岸田自民党は、与党公明党および日本維新の会や国民民主党を抱きこんで、衆参両院の憲法審査会において改憲条文案策定にむけた審議に血道をあげてきた。自民党議員どもは、〝首相・内閣に「緊急政令発布」の権限を付与せよ〟などとほざいている。その狙いは、「有事」にさいして労働者・人民を総動員するために、首相・内閣が、かつて「全権委任法」によって行政府に立法権を握らせたナチスのヒトラー同様の権限を手にすることにある。

すべての労働者・学生諸君！ マイナンバーカー

ド取得強制反対の闘いを〈反ファシズム〉の旗高くたたかうとともに、反戦反安保闘争や〈社会保障切り捨て反対・増税阻止〉の政治経済闘争と結びつけおしすすめようではないか。これらすべての闘いを総集約し、岸田日本型ネオ・ファシズム政権打倒めざしてたたかおう。

外国人難民を排斥する入管法改定を許すな

岸田政権はいま、参議院において入管難民法改定法案を可決・成立させるために狂奔している。この「改正」法案なるものは、三回目いこうの難民申請者にたいしてはいつでも強制送還することができる、これを拒否する者には刑事罰を科すという、極めて反動的なものにほかならない。〔改定入管法は六月九日に成立させられた。〕

名古屋出入国在留管理局によるスリランカ人女性ウィシュマ・サンダマリさんにたいする強制収容・虐待死（二〇二一年）——この在留外国人への犯罪行為に手を染めた政府・出入国在留管理庁にたいする澎湃たる労働者・人民の怒りと批判の声が巻き起こってきた。これを傲然とふみにじって岸田政権は、「収容期間短縮のための法改正」などと称してより悪らつな改定入管法を、今国会（六月二十一日会期末）においてなんとしても成立させようとしているのだ。

途上国・紛争国での戦火や貧困から逃れてきた外国人や難民を日本から有無を言わせず叩きだすことを断じて許すな！

すべての労働者・学生諸君！ 民族排外主義を煽りたて外国人難民を排斥する岸田日本型ネオ・ファシスト政権の入管難民法改定を断固として阻止せよ！

ネオ・ファシスト政権の採決強行反対！

岸田政権は、「難民申請中は送還を一律停止する」という条文に「三回目以降の難民申請者」を「例外」とするという規定をもうけ、そうすることによって外国人が難民申請手続き中であっても、三回以上であれば容赦なく強制送還しようとしている。そのうえで退去命令を拒否すれば「送還忌避罪」と称する刑事罰（懲役刑・罰金刑）を科すというのだ。

現時点において、ミャンマー軍政権力の強権的支配のもとで強行されている血の人民大弾圧を逃れ難民申請をしたミャンマー人のうち二〇〇〇人近くが不認定となり、難民と認められたのはわずか二十六人である。トルコ国籍のクルド人の認定者はわずか一人だけだ。このかん、法務省・入管庁は、アジア・アフリカ・中東の労働者・人民による難民申請をことごとく却下し、二〇二二年の難民申請にたいする不認定者は一万人を超える。

「難民にあたらない不法滞在者が送還停止規定を乱用し難民申請をくりかえすことによって送還を逃れている」（法務官僚）、「認定率が低いのは分母である申請者の中に難民がほとんどいないからだ」（難民審査参与員）——こうした言辞にこそ、入管法改定にこめた政府・法務省の悪らつな意図が露出しているのだ。

政府・法務省の外国人難民にたいする血も涙もない身柄拘束や強制送還のゆえに、多くの在留外国人が「政治的弾圧や生命の危険がある」などという悲痛な訴えを発してきた。これにたいして「法改正」などと称して国外に叩きだすなどというのは、たとえ母国で拘束され死を強制されようとも、あるいは家族が離散し生活が崩壊しようとも、外国人を無慈悲に強制送還することの傲然たる宣告にほかならないではないか。

今回の入管法改定法案には、一時的に収容を解く現行の「仮放免制度」にかわって「監理措置制度」が盛りこまれている。それは、――「長期収容」にかわる「改正措置」などとおしだしながら――これまで難民を支援してきた弁護士や団体を「監理人」に指定し、彼らに在留外国人の監視と入管当局への通報を義務化するという人非人的なものにほかならない。日本に在留する外国人を〝危険な犯罪者〟であるかのように描きだし、監視・密告を制度化するなどというのは実に犯罪的ではないか。

明らかに、岸田政権は、外国人難民を「国家の安全を脅かす」存在とみなし、監視・通報の治安弾圧体制を強化しようとしている。それは、アメリカとともに戦争を遂行する軍事強国へと日本国家を飛躍させるための策動と軌を一にしたものであり、ネオ・ファシズム支配体制を飛躍的に強化しようとしていること、そのあらわれにほかならない。

すべての労働者・学生諸君！　岸田政権の悪らつ極まりない入管法改定を断じて許してはならない。首相・岸田文雄が口を開けばがなりたててきたところの「人権と法の支配」なるもの、その欺瞞性はいまや明白ではないか。

没落の急坂を転げ落ちる軍国主義帝国アメリカと「世界の覇者」の座を奪取せんとするネオスターリン主義・中国とが激突する現代世界のまっただなかにおいて、米・欧・日の帝国主義権力者どもが集結した五月のG7広島サミット。その「議長国」たる日本の首相・岸田は、欧州諸国から「日本の人権は後進国なみ」と非難されることを回避するために「入管法改正」なるものを掲げてきた。だが、それは、外国人難民を徹底的に排斥するために強権を発動するという、より反動的なものなのだ。

戦争と抑圧と貧困を強制する権力者どもの犯罪を暴きだせ！

全世界ではいま、一億人超が難民とならざるをえなくなっている（二〇二二年上半期、国連発表）。

＜パンデミック恐慌＞と＜プーチンの戦争＞を引き金として一段と熾烈化した＜米・中激突＞のもとで世界のいたるところでいま、多くの労働者・人民が戦火や血の弾圧にさらされ戦争難民に突き落とされているのだ。

　プーチン・ロシアの軍事侵略によって国外避難を強制されたウクライナ人民、シリア、トルコ政府の苛烈な掃討戦によって故郷を追われたクルド人民、軍政権力の弾圧からのがれたミャンマー人民など、生命と生活を脅かされ母国から脱出せざるをえない数多の人民がうみだされているのである。

　また、食べる物も住むところも奪われ路頭に投げだされた労働者・人民が極限的な生活困窮に叩きこまれているのだ。米・欧・日の帝国主義ブルジョアジーによる搾取と収奪の強化のゆえに発展途上・新興諸国において夥しい数の経済難民が、そして、気候変動にともなう熱波、干ばつ、大洪水にみまわれ居住地を離れざるをえない環境難民もがうみだされている。いまや、八億二八〇〇万人が餓死線上に追いやられ、三一億人が健康的な食事ができない状況に突き落とされている。

　＜経済のグローバル化＞のもとで、米・欧・日の多国籍化した独占体諸企業の資本家どもは、アジア、中東、アフリカの低賃金労働力に群がり、強搾取することによって労働者・人民を貧困のどん底に突き落としてきた。とりわけ、ヨーロッパにおいては、ＥＵ域内でのヒト・モノ・カネの自由な移動のもとで旧東欧の、さらには中東・アフリカの労働者・人民を安い労働力として酷使してきたのである。これら国外・域外から流入した労働者と独仏など欧州先進諸国の労働者とが職の奪い合いを強制され、相互に憎悪し衝突する事態が激発している。

　これを排外主義的にのりきるために、欧州独占資本家とその政府は、「治安の維持」を叫びながら移民・難民を排斥する挙にうってでているのだ。

　中南米諸国においても同様である。

　ヤンキー帝国主義アメリカは、自国の「裏庭」とみなした中南米諸国に親米政権を樹立し、また反米国家にたいしては経済制裁を強行してきた。このゆえに中南米諸国の多くの労働者・人民が貧困・飢餓地獄に叩きこまれてきたのだ。中南米諸国のヒスパニックや黒人の労働者・人民が、抑圧や困窮、飢餓地獄から逃れるために「移民の国」アメリカの国境地帯に続々と集結している。この彼らにたいする「反移民・反難民」のショービニズム・レイシズムを煽りたてているのが、トランプ派を中心とする共和党の政治エリートどもである。バイデン政権もまた移民・難民の流入を規制する措置を強化しているのだ。

全世界で膨大な数の労働者・人民が、〈プーチンの戦争〉を引き金とした〈世界同時インフレ〉に直撃され、いよいよ物価高騰による生活困窮を極めたあげくに、故郷を追われている。こうした事態こそは、二十一世紀における末期資本主義の矛盾が一挙に噴出したものにほかならず、マグマのように噴き出したこの矛盾を、なおも労働者階級・人民に転嫁し延命を策しているのが、帝国主義諸国権力者と独占資本家どもであり、中国のネオ・スターリン主義官僚どもなのである。

われわれは、すべての労働者階級・人民に訴える。現下の入管法改定・難民問題の根底には、帝国主義支配階級とネオ・スターリニスト官僚どもの戦争と抑圧と貧困の強制があるのだ、ということを怒りをこめて暴きだせ。先進国内部での〈貧富の格差〉の拡大と同時に途上国人民のさらなる〈貧困化〉が促進されている、この腐朽せる現代世界の暗黒面を断固としてつきだしていくのでなければならない。

すべての労働者・学生諸君！　日本に在留する外国人難民の排斥を断じて許すな！　入管難民法改定案の強行採決を断固阻止せよ！　岸田政権の入管難民法改定反対の闘いを、同時に〈米・日―中・露の相互対抗的な核戦力強化競争反対〉の反戦闘争やネオ・ファシズム反動化阻止、〈インフレ拡大反対・増税反対〉の政治経済闘争と結びつけおしすすめようではないか。

（二〇二三年六月五日）

ワグネルの反乱　揺らぐロシア支配体制

六月二十四日、プリゴジン率いるロシアの「民間軍事会社」ワグネルの武装部隊約五〇〇〇人が、南部ロストフ州から首都モスクワに向けて八〇〇キロメートルにわたって進軍するという事件が発生した。

前日の二十三日夜、プリゴジンは、「ワグネルのキャンプがロシア軍に攻撃されて死者が出た。これに報復する」として、みずからの軍事行動を国防相ショイグおよび参謀総長ゲラシモフの二人の更迭を大統領プーチンに要求する「正義の行進」と称した。

翌二十四日未明には、ワグネル部隊は、ウクライナ軍事侵攻の前線作戦司令部であるロストフ・ナ・ドヌーの南部軍管区司令部を、軍駐屯部隊の抵抗をまったく受けることなく占領した。そしてこのロストフ州からモスクワに向けて、装甲車、兵員輸送車、戦車を積んだトレーラーなどを連ねた部隊が北上したのである。

二十三日夜、連邦保安庁（FSB）は、武装反乱扇動の容疑でプリゴジンの捜査を開始したことを発表した。そして大統領プーチンは二十四日午前の緊急演説で、武装蜂起を「裏切り」と断じ「必ず罰する」ことを表明した。

ワグネル軍が北上する高速道路の沿線には、国境警備隊やロシア軍部隊が少数ではあれ配備されていた。だがこれらの部隊は対応不能に陥り、ワグネルの反乱を阻止するための軍事行動をとろうとはしなかった。反乱軍が南西部のボロネジ州に入ったとき、一部のヘリ部隊が唯一〝鎮圧行動〟にのりだしたが、これはワグネルに迎撃されてヘリ三機とロシア空軍の数少ない空中指揮機一機を撃墜され、死者十三人を出してあっけなく粉砕された。こうしてワグネル部隊はボロネジ州の軍施設も制圧し、さらに進んでモスクワ州に突入した。

ワグネル部隊がモスクワに迫りつつあった二十四日午後六時、モスクワには「緊急事態令」＝戒厳令が発令された。皇帝プーチンは、数人の副首相を引き連れて政府専用機でサンクトペテルブルグに逃げだした。クレムリン宮殿前の赤の広場は立ち入りが禁止され、モスクワの市民は食料などの買いだめに走った。

だが、ワグネル部隊がモスクワ中心部から二〇〇キロメートルの地点にまで迫ったときに、プリゴジンは突如として部隊の撤収を命令した。

プリゴジンに翻意を促したのは、ロシア国家安全保障会議書記パトルシェフといわれる。プリゴジンはパトルシェフにたいして、「信頼できる第三者」を要求した。そこでベラルーシ大統領ルカシェンコもこの交渉に加わることとなったという。後日ルカシェンコ自身の言うところによれば、「このまま進めば虫けらのように潰される」と忠告し、同時に「ベラルーシに出国すればいっさいお咎めなし」という〝取り引き〟を持ちかけたところ、プリゴジンはこれに応じたとのことである。

プリゴジンがワグネル反乱軍を撤収させたその直後に、ロシア大統領府はワグネルへの捜査を中止することを発表した。そしてプーチン自身もまた二十六日の夜になって緊急演説をおこない、「進軍を中止するという正しい判断をしたワグネル司令官に感謝する。ベラルーシに行くことを望む者にも国防省と契約することを望む者にも、これを保証することを約束する。また、これまでの功績の大きさに鑑みて、ワグネルを処罰しない」などのことを表明した。

二十七日には、プリゴジンは自家用飛行機でベラルーシに到着したとされる。そしてFSBもこの日、プリゴジンの反乱にかんする捜査の終結を宣言したのである。

だがその後のプリゴジンの動静については、定かではない。ルカシェンコは「彼はいまベラルーシにいる」と言う。だがプリゴジンの自家用飛行機は、ベラルーシのミンスクを出発しモスクワを経てワグネルの本社のあるサンクトペテルブルグへ行き、その後再びモスクワへ戻ったという。そしてサンクトペテルブルグの飛行場ではプリゴジンとそのボディーガードらしき人物が飛行機から降りてくる姿が見られたともいう。真相はなお闇の中なのである。

およそ以上が、勃発したプリゴジンの反乱とその一応の収束の顚末である。

プーチンの飼い犬が暴いた「特別軍事作戦」の虚構

ところでこの反乱を開始した二十三日の夜に、プリゴジンは、「特別軍事作戦」なるものについての虚構を次々に暴きたてた。

『特別軍事作戦』は軍指導部（ショイグとゲラシモフ）がでっちあげたウソによってはじまった。ウクライナとNATOにはロシアを攻撃する計画などなかった。『ネオ・ナチ政府がドンバス人民を殺した』という事実もまったくのウソである。ウクライナ軍はただ親ロシア派武装勢力の軍事施設を攻撃しただけである。ショイグは自分が元帥になるために、戦争を欲して、ウソで大統領と国民をだましたのだ。」「不必要な戦争で数万人のロシアの若者の命を奪った者たち〔軍指導部〕を罰せよ。」

このように、プーチンが「特別軍事作戦」を正当化するために並べたてた理由のすべてを、ほかでもない彼の〝飼い犬〟が全否定したのである。

「プーチンの料理人」といわれたプリゴジンというこの男が、まるで狂犬のようにショイグとゲラシモフに猛然と嚙みつきだしたのは、いったいなぜか？

いまウクライナでは軍と人民とが一体となった領

土奪還の軍事作戦が、いよいよ本格的に開始されている。そのなかでプーチンは、この戦争に勝利することはできないことを認識しつつも、昨二〇二二年秋に併合を宣言した四州をなんとか〝防衛〟し、もって長期戦に持ちこむことのなかにのみ一縷の望みを繋いでいる。かのカホフカ・ダムの破壊につづいて今またザポリージャ原発からの撤退即破壊を策しているのもそのためである。

ところが、東部および南部で塹壕戦・陣地戦に駆りだされてきたその主力は、兵士を平然と使い捨てにするワグネルやコンボイといった二十以上の民間軍事会社なのであって、とうてい軍の指令の下に有機的に動けるような部隊ではない。だからこそ追いつめられたプーチンは――もはやロシア人民を動員することができないがゆえに――民間軍事会社の戦闘員を国軍に吸収することを企んだのだ。プーチンが国防省に送りこんだショイグの発した「6・10命令」がそれである。

だがこれは、バフムトの攻防戦ですでに二万人以上の兵士を失っているプリゴジンからすれば、ワグネルの解体を策すもの以外の何ものでもない。まさにこのゆえに、激怒したプリゴジンは、ショイグとゲラシモフがウクライナ東部の前線を訪れた際に二人を拘束してワグネル部隊の国軍への吸収を命じる「6・10命令」を撤回させることを計画したのである。

もとよりロシア軍の中には多数の派閥が存在する。それは次のような事情にもとづく。

すなわち、二〇〇〇年代以降のロシアにおいては、FSBがロシアの政治・軍事・経済・社会の隅々に配下の者を送りこみ支配するFSB強権型支配体制が敷かれている。FSBの官僚どもは、みずからを「ソ連時代の秘密警察の相続人」と誇っていることにも示されるように、たとえイデオロギー的にはスターリン主義とはまったく無関係だとしても・また共産党の専制支配とは異なるとしても、崩壊以前のスターリン主義ソ連邦の時代と瓜二つのいわば人民統治システムを築いているのである。

このことはロシア軍にたいしても例外ではない。

おそらくは彼らの脳裏には、かの一九九一年八月のクーデタにおいて、たった三日で終わったとはいえ軍が動いたことが、今なお甦るのであろう。彼らにとっては軍もまた監視し統制する対象なのである。

まさにこのゆえに、プーチン＝ＦＳＢの官僚どもは、軍人経験のまったくないショイグというＦＳＢ員を軍のトップに据えてきたのである。

だがＦＳＢが送りこんだこの国防相ショイグや総司令官ゲラシモフに反発する部分が、軍の内部には広範に存在する。昨年の十月に総司令官に任命されたものの今年一月には副司令官に降格されたスロビキン、プリゴジンの盟友であるこのスロビキンをはじめ、ロシア軍の内部にはプーチン＝ＦＳＢ官僚にたいする反発が日に日に高まりつつあるといえる。それはウクライナへの侵略戦争が敗色濃厚になるにしたがって、マグマのように噴き出しつつある。

このスロビキンはすでに治安当局によって拘束されているとされる。今後ＦＳＢによる軍への粛清が、嵐のように吹き荒れるにちがいないのだ。

ＦＳＢ強権型支配体制の終わりの始まり

だがロシアの国家権力内部の深まる亀裂は、国軍と民間軍事会社の対立、および軍内部の対立にはとどまらない。今やＦＳＢ強権体制そのものの内部対立もまた深刻化し、ＦＳＢ強権型支配体制の終わりの始まりとでもいうべき様相を呈しているのである。この反乱の収拾をめぐるプーチンとＦＳＢのジグザグと両者のあいだの相克に、その一端が露呈しているといえる。

プーチンが「裏切り者は絶対に処罰する」と宣言したその日のうちに、大統領府が「プリゴジンがベラルーシに出国すれば罪を問わない」と捜査打ち切りを宣言したこと(二十四日夜)。プーチンが「モスクワ進軍を停止したワグネル司令官に感謝する」と言い捜査終了を宣言した(二十六日)その直後に、ワグネルにたいする年八六〇億ルーブルの補助金なるものを暴露し、親会社「コンコルド」を含めて不正の調査をつづけると発言したこと。いやそもそもプーチンが「裏切り者は許さない。必ず処罰する」と憔悴しきった表情でつぶやいていたまさにそのときに、プリゴジンのベラルーシ行きをルカシェンコとパトルシェフが根回ししていたこと。――このようなプリゴジンの処遇をめぐる角逐とジグザグは、クレムリンの上層部においてプーチンの権威が完全に失墜していることを示しているだけでなく、プーチンを表看板としてきたFSB強権型支配体制そのものがもはや一枚岩ではないことを示しているといってよい。

ロシア国家権力の内部対立は、おそらくはプーチン一派とパトルシェフ一派の反目と抗争を軸に展開しているのであろう。ちなみにウクライナ侵攻を最も強硬に主張したとされるこのパトルシェフは、いま自分の息子を大統領の座につけようとしているともいわれる。そもそも、一九九〇年前後にソ連・東欧のスターリン主義国家がすべて倒壊したとき、東ドイツでKGBの小役人をしていた無名のプーチン、そのご職を失ってタクシーの運転手をしていたこのプーチンを大統領におしあげる旧KGBグループの中心にいたのが、プーチンの上司であったこのパトルシェフなのだ。皇帝気取りのプーチンの権威が失墜すればするほどに、プーチン一派とパトルシェフ一派の抗争はますます激しくなるにちがいない。そしてこの角逐は、ワグネルがもっているアフリカの諸国での金やダイヤなどの資源にまつわる莫大な利権やシリアでの石油採掘権などの争奪ともからみあっているにちがいない。

ちなみにプリゴジンは、みずからの家族は戦地に送ることもなくバカンスを楽しませているロシアの特権支配層の「官僚主義と腐敗」を指弾しもした。そして、プリゴジンという人物の残虐性にもかかわらず・またプリゴジン自身が強盗・詐欺などで財をなした億万長者であるにもかかわらず、このプリゴジンの反乱軍にたいして、ロストフ・ナ・ドヌーの民衆は、軍が街を撤収する際に歓呼の声を送ったのであった。このことは、ロシア愛国主義の枠内であるとはいえロシアの民衆のあいだに、二十年にわたって人民の上に君臨してきたプーチンとその権力にたいする反発が広範に渦巻いていることを赤裸々にしたのである。

だからであろう、プーチンは今、みずからの没落の日が近づきつつあることに顔面蒼白となっている。六月二十八日、プーチンは北カフカスのダゲスタン共和国を訪問し、現地の人々と握手したりハグしたりする姿をテレビで放映した。ダゲスタン共和国といえば、イスラムの信奉者が多く、ウクライナ戦争で大量の死者を出しているところである。しかも二〇一四年には「ソチ・オリンピック反対」を掲げて人々が反プーチンの抗議闘争をくりひろげたところでもある。おそらくは影武者であろうが、こういう演出に狂奔せざるをえないということは、急速に色褪せつつある「プーチン支持」を今一度高めこれにすがる以外にみずからが生き残る術がないことを、まさしく裸の皇帝自身が知っているからなのだ。

あきらかに「プリゴジンの乱」は、FSB強権体制そのものの終わりの始まりを象徴しているのである。

ロシアにおいては今、いわゆる貧富の差が天文学的数字にまで拡大している。FSBをはじめとする特権支配層は、さながらロシア皇帝とその一族のような豪邸や別荘に住み贅沢三昧の生活を享受しながら、貧困に喘ぐ人民の上に君臨し支配している。そして彼らのこの富は、瓦解した旧ソ連スターリン主義時代の国有財産を、あの手この手で簒奪したものなのだ。

ロシアの労働者・人民よ！　現代のロシア皇帝プーチンを表看板としたFSB強権体制は、決して破産国ロシアの救世主などではない。今こそ権力者と特権支配層への怒りにもえて＜ウクライナ侵略戦争反対―FSB強権型支配体制打倒＞の闘いをまきおこせ。

「二十一世紀のヒトラー」であるプーチンを断末魔に追いこんだのは、いうまでもなくウクライナの労働者階級・人民の自己犠牲的な戦いにほかならない。このウクライナ人民と連帯して、今こそ日本の、そして全世界の労働者・人民は、＜プーチンの戦争＞という世紀の蛮行を粉砕する闘いに断固として決起せよ！

（二〇二三年七月一日）

「ロシアの敗北」を曝けだした5・9対独戦勝記念式典

追いつめられたプーチンの悲鳴

二〇二三年五月九日にクレムリンの赤の広場で開かれた対独戦勝利記念式典は、ウクライナに襲いかかったプーチンのロシアの惨たんたる敗北を象徴する惨めきわまりない儀式となった。

プーチンの演説はわずか十分。暗殺を恐れ警護隊に囲まれて登壇したこの男は、憔悴しきった表情で次のような泣き言をくりかえした。――

「わが祖国にたいして、またもや本物の戦争がしかけられている。」「西側エリートたちは相も変わらず、人々を煽って社会を分断し、血なまぐさい闘争を扇動し、憎悪とロシア嫌いと攻撃的ナショナリズムの種を撒き散らして、伝統的価値を破壊している。」「欧米の目的は、ロシアの崩壊と消滅であり、第二次世界大戦の結果を覆すことだ。」……

一年二ヵ月ほど前に四方八方から一九万の侵略軍をウクライナになだれこませたことなどまるでなかったかのように、〝ロシアはいま西側がしかけた本物の戦争から祖国を守るための防衛戦争を強いられているのだ〟などと黒を白と言いくるめる弁解に終始したのが、プーチンなのだ。〝国家の安全が危殆に瀕している〟と叫びたて、「大祖国戦争」を引きあいに出しながら国民にもっぱら「祖国愛をもて」と説教することに、この男は明け暮れたのだ。

国外から賓客を集められないがゆえに、急きょCIS（独立国家共同体＝旧ソ連邦構成諸国）の権力者たちを脅しをかけて引っ張りだしはした。「偉大なソ連邦」への郷愁をかりたて、「CISの結束」をとりつくろおうとするこの演出も、なんの役にも立たなかった。無理やり集められたこの連中は笑みのひとつも浮かべず、ベラルーシのルカシェンコにいたっては途中退場してしまった（アゼルバイジャン大統領は欠席）。動員された兵隊たちの、ロボットのように無機質な「ウラー」の声が虚ろに響くのみ。

軍事パレードに登場した戦車はT‐34という八十年以上前の〝骨董品〟がたった一両。航空機の一機も飛ばせず。まさしく、ウクライナ軍と人民の反撃に撃滅されて戦力喪失・兵器払底に直面しているロシア軍の惨状をみずから暴露するようなパレードであった。

毎年おこなわれてきた戦没者遺族が遺影を掲げて行進する「不滅の連隊」の行事も、プーチン政権は、ウクライナでの膨大な戦死者の存在が露わになることを恐れてとりやめた。

まさにこの式典は、この一年余にわたってウクライナ軍と人民の強烈な反撃のまえに敗北に次ぐ敗北を重ねてきたプーチンとロシア軍の、その追いつめられた姿を全世界に曝けだす惨めな儀式となったのである。

「バフムト陥落」作戦の完全な破産

プーチンはこのかん、「五月九日の戦勝記念日までにバフムトを陥落させろ」とロシア軍司令部に厳命してきた。〔それじたいが、「二月二十四日の作戦開始一周年までにドンバス二州を完全制圧せよ」というみずから発した命令がウクライナ軍の反撃によって頓挫したことののりきり策であった。〕

だが、このロシア軍の命運を賭けたバフムト攻略作戦は、いまや完全に破綻した。

　上から命令を発するだけの官僚主義丸だしの作戦指揮（スターリニスト軍隊の伝統をそのまま引き継ぐそれ）。なんの「大義」もないがゆえの士気の低さ。兵站の寸断・とりわけ弾薬の決定的不足。おまけにワグネル軍と正規軍との対立の噴出。これらのゆえに、ただただ兵士を人海戦術的に〝肉弾〟として投入するだけのロシア軍（ワグネル軍）のバフムト攻撃は、ことごとくウクライナ軍にはね返されたのだ。

　ウクライナ軍は、春以降の一大反転攻勢に備えて、可能なかぎりロシア軍主力をバフムトに引きつけ徹底的にそれを叩いて兵力を消耗させる、という作戦を採った。このような戦術にもとづいて戦った勇敢な兵士たちの、領土防衛隊やパルチザンをも含む一致結束した反撃によって、ロシア軍の総力を投入したバフムト攻撃はうち砕かれたのである。

　そしていま、ウクライナ軍はこのバフムトそのものにおいて、占拠された市街地を奪還するための反転攻勢にうってでている。

　五月九日を期して、ウクライナ軍の強襲部隊がバフムトに進出しているロシア軍にたいする反撃を開始した。不意を突かれたロシア軍は、市の南北両側で防衛線を突破され、次々に敗走している。第七十二旅団は算を乱して逃げだし、孤立したワグネルの五〇〇〇人の部隊が全滅した。ワグネルの頭目・プリゴジンは、ＳＮＳの動画で「ワグネルを見殺しにして逃げた正規軍は許せない！」と吠えたてている。この男はいま、「このままではわれわれは全滅する」と金切り声をあげているのだ。

　実に十ヵ月にわたってロシア軍とワグネル囚人部隊などによる集中的な攻撃をうけながらも、高い士気と組織力でこれに耐え抜き、後退しつつも反撃してきたウクライナの兵士と将官たち。彼らはいま、ついにバフムトにおける反転攻勢にうってでたのである。

　いまやウクライナの占領地に派遣されているロシア軍部隊は、これからはじまるであろうウクライナ軍の大規模反攻に脅えて、長い長い塹壕のなかに亀の子のように固まってうち震えているのだ。

追いつめられたプーチンは、暗殺を恐れてモスクワ、サンクトペテルブルグ、ソチなどを転々としながら、砲弾とミサイルが尽きはてるまでウクライナ人民にたいする殺戮戦争をつづけようとしている。

戦うウクライナ人民と連帯し、〈プーチンの戦争〉をうち砕け！

瀧川潤

プーチン政権によるカホフカ・ダム爆破弾劾！

二〇二三年六月六日の未明、プーチンの命令を受けたロシア特殊工作部隊は、ウクライナ南部カホフカの巨大ダムを爆破し、ドニプロ川下流地域を大洪水に叩きこんだ。カホフカ貯水池の水位を限界ギリギリにまで高めさせたうえで、水力発電施設の下部にしかけていた大量の爆薬を炸裂させたのだ。四万二〇〇〇人が暮らすドニプロ川流域を水没させた今ヒトラー・プーチンのこの大犯罪を、われわれは満腔の怒りを込めて弾劾する！

ウクライナ軍はいま、満を持して領土奪還の反転攻勢をザポリージャ州とドネツク州の四ヵ所で開始した。この反攻作戦の開始に直面したプーチンは、なけなしの敗残ロシア軍部隊をこの地域に集中するためにこそ、ドニプロ川下流地域一帯に大洪水をひきおこすことによってウクライナ軍機甲部隊のドニプロ川渡河＝ヘルソン州南部進撃を阻止することを企んだのだ。

カホフカ貯水池の膨大な水（水量は琵琶湖の約三分の二ほど）が、しかもロシア軍がしかけた何十万個もの地雷や不発弾を含んだ濁流が、約六〇〇平方キロメートル（東京二十三区の面積に匹敵）の下流域に怒濤となって流れこんでいる。ドニプロ川の水位は最大一二メートルも上昇し、約八十の集落が次々と水没させられたのだ。死者と行方不明者は、ウクライナ軍が昨秋解放した北西側だけで数十人にのぼる。ロシア軍が占領する南東側から逃れてきた人民は、老人や子どもや女性や家畜の死体が大量に浮かんでいたと証言している。ロシア軍は水没した集落の住民を完全に見殺しにし、あまつさえロシアのパスポートを持たない者を濁流のなかに追いかえしてさえいるのだ。北西側の人民は、必死に助け合いながら避難している。この避難民にたいしてロシア侵略軍は、いまなお砲撃を加えつづけているのである。この人非人どもの犯罪を断じて許すな！

カホフカ・ダムが破壊されたことによって、ザポリージャ原発は冷却水用貯水池（カホフカ貯水池の一部）の水位が低下し冷却水喪失の危機が刻一刻と近づいている。肥沃な穀倉地帯であったドニプロ川下流域の大地は、たとえ水が退いたとしても大量の砂と発電所から流出したオイルと地雷とによって、何十年にもわたって耕作ができない不毛の地と化した。プーチンは、ロシア領に併合した占領地を〝死守〟するために、あらんかぎりの悪事をはたらいているのである。

すべての労働者・学生諸君！　今ヒトラー・プーチンの大犯罪に弾劾の嵐を叩きつけよ！　わが反スターリン主義革命的左翼は、日本のそして全世界の労働者・人民に呼びかける。新たな犯罪に手を染めた侵略者プーチンを、全世界の怒りの炎で包囲せよ！　いまこそすべての労働者・学生は〈プーチンの戦争〉を打ち砕く闘いに総決起せよ！

（二〇二三年六月十一日）

第61回国際反戦集会　海外へのアピール

米ー中・露激突下の核戦争の危機を打ち破る反戦闘争を！

二〇二三年七月三日　第61回国際反戦集会実行委員会

全世界の労働者・学生・知識人諸君！

ロシアの侵略開始から一年四ヵ月、憎むべきプーチン政権と侵略軍は、ウクライナ軍と人民の一致結束した反転攻勢に追いつめられて、ついにその内部から崩壊しはじめた。

当初は国防相ショイグと参謀総長ゲラシモフの拘束を企てていた民間軍事会社「ワグネル」の頭目プリゴジンは、この目論見が何者かによってFSB（連邦保安庁）にリークされたことを知るや、六月二十三日に配下の武装部隊を率いてロシア軍南部軍管区司令部を占拠し、ショイグらの解任をプーチンに要求した。そしてさらに首都モスクワにむけて進軍しその二〇〇キロメートル手前にまで迫った。プリゴジンは、「〝NATOの脅威〟とか〝ネオ・ナチからの防衛〟とかという特別軍事作戦の理由はウソだ」「官僚主義と汚職に反対する」と叫んだ。ウクライナ侵略の

〝理由〟を公然と否定したこの〝飼い犬〟＝プリゴジンの〝反逆〟に驚愕し、数千名のワグネル部隊の〝進軍〟に恐怖したプーチンは、首都に非常事態令をしいた。プーチンが育ててきた傭兵集団の頭目プリゴジンがひきおこしたこの〝反乱〟によって、いまやFSB強権型支配体制は根底から震撼させられている。すべての労働者・学生諸君。今こそ、〈プーチンの戦争〉を最後的にうち砕こう！

軍中枢内の対立があらわとなり士気を阻喪したロシア軍にたいして、いまウクライナ軍と領土防衛隊は、「占領地奪還」を合言葉に日々前進している。これにたいしてロシア軍は、キーウやクラマトルシクなどの都市に連日ミサイルをうちこみ住民を無差別に殺戮している。六月はじめには、特殊工作部隊にカホフカダムを爆破させて大洪水をひきおこしたのが、戦争狂プーチンだ。いまや断末魔のプーチンとシロビキは、ザポリージャ原発の爆破に、さらには戦術核兵器の使用にさえ手を染めかねない。

全世界の労働者・学生・知識人諸君。

ブチャで、マリウポリで、ウクライナの全土で、人民を血の海に沈めてきたこの〝二十一世紀のヒトラー〟がこれ以上の犯罪を重ねることを、われわれは断じて許してはならない。ただちにウクライナ反戦の巨大な闘争を世界中からまきおこそう。

ロシアのウクライナ侵略を発火点にして、米―中・露が激突する現代世界は、いつ熱核戦争が勃発するやもしれぬ危機に瀕している。

東アジアでは、台湾併呑の野望をたぎらせる習近平の中国が、台湾を空と海から包囲する威圧的な軍事行動をくりかえしている。これに対抗して、アメリカ・日本さらにNATO諸国の軍は合同で史上最大規模の軍事演習を今まさに展開しつつある。北朝鮮の金正恩政権もまた、ロシアの全面支援をうけて核ミサイルの発射実験に血道をあげている。

こうした一触即発の激動のなかで、日本帝国主義の岸田政権は、バイデン政権とともに日米軍事同盟を対中・対露のグローバル攻守同盟として強化することに狂奔している。そのためにこの政権は、日本を世界第三の軍事大国へとおしあげる空前の大軍拡と憲法の改悪に突進しているのだ。

わが全学連・反戦青年委員会および革共同革マル派は、岸田政権の大軍拡・先制攻撃体制構築の策動をうち砕く闘いを、既成反対運動指導部の闘争放棄を弾劾し、日本人民の先頭に立って牽引している。われわれはまた、日本で唯一、「プーチンの戦争粉砕！ウクライナ人民連帯！」の檄を全世界に飛ばし、職場・学園から、ウクライナ反戦闘争のうねりをまきおこしているのだ。

われわれは、きたる八月六日に第六十一回国際反戦集会を、東京をはじめとする全国七都市で開催する。全世界の労働者・人民は、われわれと共に、核戦争勃発の危機をつきやぶる反戦闘争の雄たけびをとどろかせようではないか！

全世界からウクライナ反戦闘争のうねりをまきおこせ

迫りくるウクライナ軍の攻勢をまえにして、前線のロシア軍は次々に塹壕から逃げだし、地雷をいたるところにしかけながら敗走している。ウクライナ軍と領土防衛隊は、占領されてきた町や村をひとつまたひとつと着実に奪いかえしつつあるのだ。

前線からの退却を強いられつつあるロシア軍はいま、キーウ・ドニプロ・クリビイリフ・クラマトルシクなどの主要都市にミサイルとドローンによる攻撃をあびせて数多の住民を虐殺している。ウクライナ軍の対空ミサイルを都市にくぎづけにすることを狙って、前線から離れた人口密集地を狙い撃ちにしているのである。この無差別殺戮を許すな！

ウクライナ大統領ゼレンスキーは、このミサイル攻撃をうち砕く強力な防空システムや反転攻勢のためのさらなる武器援助を米欧諸国に求めている。だが、米欧帝国主義権力者どもは、彼の求める規模とテンポにはるかにおよばない支援しかおこなってはいない。帝国主義権力者どもは、プーチンによる自国への反撃を招かないように、あくまでも〝ウクライナに勝たせすぎない〟ような武器援助をおこなっているにすぎないのだ。いやむしろ「停戦後の復興特需」をみこんでの利権争いに狂奔しているのが、帝国主義権力者どもなのだ。

このようななかで、ウクライナ軍と人民は、あくまでも占領された領土を奪還するために、圧倒的な兵力差をものともせず果敢に抵抗し、次々に侵略軍を撃退してきたのだ。そしてついにいま、彼らは、プーチンを頭目とするＦＳＢ強権型支配体制をして公然たる内部分解へと追いこんだのだ。

世界の労働者・学生・知識人諸君。

プーチンのロシアが一年以上にわたってウクライナ人民に悪逆きわまる蛮行をつづけ、いまや核攻撃の脅しさえかけているにもかかわらず、自称「左翼」の少なからぬ人々が今も弾劾の声ひとつあげないのは、何と許しがたいことか！

「今すぐ停戦交渉を」などと叫ぶ自称「左翼」がいる。それは、ウクライナ人民にたいして「占領地をロシアに明け渡せ」と迫ることをしか意味しない。だが、もしも「左翼」を自称するのであれば、まずもって、侵略軍にたいして命がけで戦っている人民の側に立つべきではないのか。

この戦争は「ＮＡＴＯとロシアの代理戦争」であって「どっちもどっちだ」と言う者もいる。こうした言辞を弄する者たちは、侵略者はプーチン・ロシアであり、この侵略とたたかっているのはウクライナの労働者・人民である、という現実さえも直視していないではないか。

彼ら自称「左翼」は、「かつて社会主義であったロシアの方が帝国主義よりマシ」であるかのような感覚に陥っている。それは、根本的には、「社会主義」を自称してきたスターリニスト・ソ連邦のたび重なる反労働者的な犯罪との対決を彼らが一貫して放棄してきたがゆえなのだ。

もとよりこの戦争は、ウクライナという国家と民族を丸ごと地上から抹殺しロシア連邦にくみこむことを狙って、〝スターリンの末裔〟たるプーチンがしかけた侵略戦争にほかならない。ウクライナ人民にとって、この侵略に屈することは、スターリンのソ連邦のような圧政と貧困のもとに再びつきおとされることを意味するのであって、だからこそ彼らはいま命がけのレジスタンスに決起しているのだ。

「社会主義ソ連邦」という名のスターリニスト官

僚専制国家は、勤労人民に凄まじい圧政と収奪を強制してきたことのゆえに、その憎悪と怒りの的となって一九九一年に自己崩壊をとげた。この事態を、ただただ「二十世紀最大の地政学的惨事」と嘆き、旧ソ連邦の版図（同時にロシア帝国の版図でもあったそれ）を復興するという野望をたぎらせてこの侵略を開始したのが、プーチンなのだ。まさしく、この戦争は、〝スターリンの末裔〟にして〝現代のツァーリ〟たるこの大ロシア主義者が強行した世紀の大犯罪にほかならない。

ロシア侵略軍をたたきだすために不屈に戦っているウクライナ人民と、われわれは連帯してたたかう。われわれは、ロシアの労働者・人民によびかける。今こそ、〈反戦―FSB強権型支配体制打倒！〉の闘いに起ちあがれ！

そして全世界の労働者・人民に、われわれは訴える。ウクライナ反戦闘争を世界各国からまきおこし、労働者・人民の闘いの巨大なうねりで、殺戮にあけくれる侵略者プーチンを包囲せよ。今こそ〈プーチンの戦争〉を最後的にうち砕け！

対中・対露のグローバル核軍事同盟反対！中国の威嚇的軍事行動反対！

ここ東アジアでもいま、米・日―中・露の激突が、緊迫の度を高めている。

ネオ・スターリン主義国家中国の習近平政権は、「核心的利益中の核心」と位置づける台湾併呑（彼らいうところの「祖国統一」）を強行するための軍事体制の構築・強化に突進している。この政権は、アメリカの軍事介入を阻止するために台湾にむかって中距離ミサイル網を槍ぶすまのように張りめぐらしている。台湾上陸の予行演習をはじめとする中国軍の威嚇行動は、台湾人民にたいして〝統一か、さもなければ戦争か〟と脅す恫喝いがいの何ものでもない！

これにたいして、台湾独立を希求する蔡英文の民進党現政権を軍事的・政治的に支援しているバイデン政権は、「航行の自由」と称して米軍艦船を台湾海峡に頻繁に突入させている。この米軍艦の鼻先を中国艦がつっきって横断するという、まさに一触即発の事態が、台湾周辺ではうみだされているのだ。

習近平政権は、二〇四九年までにアメリカを凌駕する「社会主義現代化強国」を建設するという国家目標を実現するために、軍事的・政治的・経済的・技術的のあらゆる面で対米挑戦を強めている。

この中国をもはや単独では抑えることができないがゆえに、没落帝国主義アメリカのバイデン政権は、米日韓の三角軍事同盟および米英豪の軍事同盟AUKUSをNATOと一体化させ、対中・対露の地球大的規模の核軍事同盟を構築することに躍起になっている。

五月に日本の広島で開かれたG7サミットは、帝国主義権力者どもが対中・対露のグローバル核軍事同盟の構築を確認する場となった。被爆地・広島の地で、〝核の使用を防ぐためには核が必要だ〟と傲然と宣言したG7諸国権力者どもを、われわれは怒りをこめて弾劾する！

このグローバル軍事同盟を構築する先導役をつとめているのが、サミット議長をつとめた日本の首相・岸田文雄にほかならない。岸田は、NATO連絡事務所を東京に設置するよう要請している。日本の支配階級・権力者は、アメリカ帝国主義権力者の要求に積極的に応えて、対中（対露）の戦争を実際になしうる軍事強国をつくりだすために、五年で四三兆円を投じて世界第三の軍事大国に日本をおしあげる大軍拡に突進している。沖縄・南西諸島では、辺野古新基地などの米軍の巨大基地建設や日本軍のミサイル配備を、人民の反対運動を警察部隊の暴力で踏みにじって強行している。そして、「交戦権放棄」「戦力不保持」を定めた憲法第九条を破棄し、ナチスの全権委任法と同様の「緊急事態条項」を新設する日本国憲法の大改悪に突進している。これらは、戦後七十八年にわたって歴代自民党政権がなしえなかったことを一挙に強行する一大反動攻撃にほかならない。

この岸田政権の大軍拡と改憲をはじめとする極反動諸攻撃に、ナショナルセンター「連合」を牛耳る労働貴族はいまや公然と手を貸している。「日本共産党」を名のる転向スターリン主義党の中央指導部は、反戦闘争の大衆的組織化を完全に放棄している。この既成指導部の許しがたい腐敗を弾劾し、唯一、わが革命的左翼のみが、大軍拡に反対し、岸田ネオ・ファシズム政権打倒をめざしてたたかいぬいているのである。

世界の労働者・人民は、日本でたたかうわれわれと共に、米—中・露激突下の核戦争の危機をつきやぶる反戦闘争を力強くまきおこそう！

対中・対露のグローバル核軍事同盟の構築に反対しよう！

中国習近平政権の威嚇的軍事行動に反対しよう！

戦争と抑圧と貧困と環境破壊の強制を許すな！

いまこのときにも、シリア、パレスチナ、ミャンマー、スーダンをはじめとして、世界のいたるところで労働者・人民が戦火にたたきこまれ、〝ミニ・ヒトラー〟ともいうべき強権的権力者の血の弾圧によって虐殺されている。

多くの発展途上国・新興国においては、米・欧・日の帝国主義ブルジョアジーによる搾取と収奪のゆえに、またネオ・スターリン主義中国のこれに輪をかけたように悪辣な収奪――各国権力者を札束をエサに「一帯一路」経済圏に囲いこんで支配する〝中国版新植民地主義〟というべきそれ――のゆえに、何億人もの人民が貧窮にあえぎ餓死線上につきおとされている。夥しい経済難民がうみだされ、また森林伐採や乱開発などの環境破壊、気候変動にともなう干ばつ・大洪水にみまわれ居住地を離れざるをえない環境難民がうみだされている。――これら全世界で一億人を超える難民を、米・欧・日の権力者や極右ファシストどもは、「治安維持」と「自国ファースト」を叫んで排斥する挙にでているのだ。

それればかりではない。世界のあらゆる国の勤労大衆が、ロシアのウクライナ侵略を引き金としてひきおこされた猛烈な物価高騰による生活苦にあえいでいる。

フランスで、イギリスその他で、労働者階級は賃上げを要求し、また年金その他の社会福祉の切り捨てに反対し、ストライキをも武器にたたかっている。これを、帝国主義諸国権力者は、強権的弾圧をもって圧殺せんとしている。

習近平の中国は、貧窮にあえぐ労働者・農民工・農民をネオ・スターリン主義官僚専制支配のもとにくみしき、またウイグルや香港の人民にたいしては仮借ない血の弾圧を加えている。

米・欧・日の帝国主義権力者、そして中国ネオ・スターリン主義権力者およびFSB強権型国家ロシアの権力者は、自国の人民を貧困のどん底につきおとし、人民を強権で弾圧しながら、外にむかっては核軍事力の強化と新たな侵略戦争にうってでようとしているのである。追いつめられたプーチンのロシアは、いまにも原発を爆破し、〝核のボタン〟に手をかけようとさえしている。

全世界の労働者・学生・知識人諸君。

米―中・露が激突する現代世界は、まさしく熱核戦争勃発の瀬戸際に立たされているのだ。今こそ国境をこえて団結し、米―中・露激突下の熱核戦争の危機をつきやぶる巨大な反戦闘争をまきおこそうではないか！

日本スターリニスト党の四分五裂
——〝松竹除名〟問題の意味するもの——

藤沢浩市

日共党組織はいま、分裂と崩壊の歴史的危機にたたきこまれている。「二重の大逆流を打ち破れ」という委員長・志位和夫の号令のもとにとりくんだ二〇二三年四月の統一地方選挙において、日共が一三五議席にのぼる激減に見舞われたというだけではない。なによりも、いわゆる〝松竹除名〟問題をめぐって、党内外から反発と批判が噴出しているのだ。

二〇〇六年まで日共中央の政策委員会安保外交部長を務め、かつては日共系ニセ「全学連」委員長の座にあった松竹伸幸が、ロシアのウクライナ侵略問題をめぐる党内の対立・混乱のまっただなかの今年一月に、『シン・日本共産党宣言』なる著書において「安保条約堅持・自衛隊合憲」などを「党の基本政策」に明記すべきだと公然と要求し、「党首公選制の導入」を唱えるにいたった。

事実上は志位の辞任をも要求しているこの松竹の〝反乱〟に動転した党中央官僚どもは、「日本共産党にたいする攻撃・かく乱者」であり「党規約違反」などと烙印しこの男に除名処分をくだした（今年二月）。まさにスターリニスト官僚の御多分に漏れず、「保守」を含む「野党共闘」という党の路線にかんする松竹の主張を内容的に批判することもできずに、「党への攻撃・かく乱者」とか「分派禁止」の「党規約違反」とかという理由をもって粛清を強行したのが志位指導部なのだ。

いまや日共・志位指導部は、松竹に引きずられて右から党中央に反発する部分と、全学連や革命的・戦闘的労働者の反戦反安保・改憲阻止の闘いに共感し志位指導部の右翼的な安保・自衛隊にかんする代案に怒りと疑問を募らせる良心的党員とに挟撃され、党組織そのものの対立・分岐が一段と深まっている。

それだけではない。プーチン・ロシアのウクライナ軍事侵略という世界史的事態が惹起したまっただなかにおいて、代々木中央は、これにたいする反撃の闘いから完全に召還してしまっている。ウクライナの数多の人民を虐殺し領土を強奪しているプーチン・ロシアの蛮行をまえにして、闘争放棄をきめこんでいるのが代々木共産党なのだ。〝かつてソ連邦であったロシアの方が西側よりもマシである〟という感覚を残しているがゆえに、「ロシアに脅威を与えたNATOの方が悪い」などと称して侵略者プーチンを免罪してはばからないゴリ・スターリニストども。「どっちもどっちだ」「即時停戦を」などと主張する右翼的部分。そして、「プーチン・ロシアのウクライナ侵略弾劾、レジスタンスをたたかうウクライナ人民と連帯してたたかおう」というわが革命的左翼の呼びかけに共感を寄せる良心的党員。――こうして日共党組織は、四分五裂、七華八裂し分解・消滅の危機に直面しているのだ。

代々木共産党のこんにちの惨状は、わが革命的左翼がウクライナ反戦、反戦反安保闘争を断固として組織化し、そのただなかで日共中央にたいするイデオロギー闘争をくりひろげてきたことによってもたらされたものにほかならない。

われわれは、〈反帝国主義・反スターリン主義〉革命的前衛党の矜持にかけて、日本の反戦反安保の闘い、階級闘争に害悪をたれ流し、混迷と腐敗をさらけだしながらいまなお延命の途をまさぐっている志位指導部にたいするイデオロギー的重砲火をあびせるのでなくてはならない。

われわれは、心あるすべての日共党員に呼びかける。日共中央＝転向スターリニストと今こそ決別し、熱核戦争勃発の危機とネオ・ファシズムの暴虐に抗してプロレタリア階級闘争を再創造するために、〈反帝・反スタ〉の旗高くわが同盟とともにたたかおうではないか。

Ⅰ 「専守防衛」と「新しい資本主義」の綱領化を要求する松竹

松竹が日共中央につきつけている要求それじたいが極めて右翼的で犯罪的なしろものなのだ。

その第一は、「侵略されたら自衛隊も安保条約も使うし、政権としては自衛隊合憲が共産党の立場」なのだから、「党の基本政策」としてスッキリさせるべきだ、ということである。松竹はあっけらかんと言う。「共産党が『核抑止抜きの専守防衛』を基本政策」とするならば、「立憲民主党や国民民主党など他の野党との『共通土俵』」が生まれ「野党の共闘を魅力あるものにできる」と。米軍の「核抑止」への依存を除けば、「日本防衛」という名の日米両軍の軍事作戦も肯定すべきだ、と。

志位よ！　この松竹の主張におまえはなんと応えるのだ。すでに「国民連合政府構想」（二〇一五年）において、志位指導部じしんが、「日本に対する急迫・不正の主権侵害など、必要に迫られた場合には……自衛隊を活用することは当然」と明言し、さらに「安保条約第五条にもとづく日米共同作戦」をも公然と容認してきたではないか。

わが同盟の批判とこれに揺さぶられた下部党員の反発を恐れて自己保身を募らせている彼ら代々木官僚どもは、「安保廃棄・自衛隊解消」なるものをおしだしている。これじたいが〝将来目標〟として神棚に祭りあげてきたものであり、このカビだらけの「党の綱領的政策」をもちだしているにすぎないのだ。

こうした志位指導部のごまかし的対応にたいして、松竹は「党と政権を使い分けるという志位氏の提起は、形式論理としては成り立っても、あまりにもご都合主義である」と迫る。

しかも松竹は、『改憲は悪で護憲は善』の単純なアプローチ」を打破して「さしあたって一致できる目標」で「多数派をめざす」「左側の自民党」たるべきことを説教する。

この主張こそは、松竹という男が、国家権力の意を体して日共党組織を自民党の補完勢力として変質させ純化させる役割を担ってきたことを如実にしめすものである。実際、松竹は、加藤紘一（元自民党幹事長・元防衛庁長官）などの政治エリートや、伊勢崎賢治、柳澤協二などの元防衛官僚、これら国家暴力装置に連なる輩との〝人脈〟を誇ってみせてさえいるのだ。

現下の岸田自民党政権はプーチン・ロシアのウクライナ侵略を渡りに舟として、対中国・対北朝鮮の敵基地攻撃体制を日米共同で構築する攻撃を一挙に強化している、そのためにも現行憲法第九条を最後的に破棄するとともに首相・国家安全保障会議の非常大権を確立するために狂奔している。支配階級の一部と気脈を通じている松竹の言動は、この軍事強国化・日本型ネオファシズム強化の攻撃を翼賛するものいがいのなにものでもないのだ。

第二には、松竹が「人間の顔をした資本主義」をめざすべきと称して、資本主義社会の改良を自己目的化すべきことを日共中央以上にあからさまに吐露していることである。松竹曰く、「『新しい資本主義』像を打ち出すことが客観的に求められている」のであり、そのためには「財界のシンクタンク」を活用するべきだと。いまや、帝国主義的独占ブルジョアと手をたずさえて、「本当の『新しい資本主義』」＝「人間の顔をした資本主義」をめざす、というわけだ。

ところで松竹は、「共産党員にとってさえ、共産主義とは旧ソ連や中国のような独裁社会のことなのである」などとうそぶく。だがスターリン時代いこうのソ連邦のむごたらしい変質のなかでニセの「社会主義」としてのスターリン主義の犯罪を何ひとつ熟考することもなく肯定してきたであろう、己れの日共党員としての〝過去〟にはフタをしているのがこの男なのだ。

チェルノブイリ原発事故の勃発、アフガニスタンへのソ連軍の侵略、ポーランドにおける自主管理労組「連帯」の結成とヤルゼルスキ軍専制によるその弾圧、――「社会主義」の看板を掲げたスターリン主義官僚専制国家の犯罪を赤裸々にしめしたこれらの歴史的事件に直面して、「ソ連＝社会主義」神話の崩壊に動揺しながらも、これをおしかくすために、「生成期社会主義」の過渡性だの「社会主義の復元力」だのを呼号しのりきってきたのが日共官僚どもではないか。そもそも、チェコスロバキア事件、ソ連核実験、一九五六年のハンガリー事件といったスターリニスト・ソ連邦の犯罪への省察もなく、「社会主義・共産主義」とスターリン主義とを等置したうえで、「反共」主義をわめきたてるとは、まさしく右翼転向分子にふさわしいというべきなのだ。

帝国主義国家権力・支配階級の手先に転落した松竹にとって、もはや「共産主義」などは忌まわしいものでしかない。このゆえに松竹は、第三に、「共産党」という党名の変更をも要求する。「もし日本国憲法に規定された権利が十全に達成される社会がくるなら、マルクスが目標とした社会と変わりがない」のだから「『憲政党』も重要な選択肢である。」「資本主義を当然だと考えている人も、日本国憲法の人権規定を徹底的に実現する立場に立つ人は、ある意味で共産主義者だとも言える」(!?)と。

問題は、こうした松竹という男を育てあげたのは日共中央指導部いがいのなにものでもないというところにある。

II 自己の〝影〟に向かって吠え立てる代々木中央

〝政権に入るためには明確に安保廃棄の廃棄と自衛隊解消の解消を宣言せよ〟――このように主張する松竹にたいして、志位指導部は、「綱領と規約の根本を否定する重大な内容」などと非難する。

その姿は、あたかも、池をのぞきこんだ犬が水面に映ったみずからの姿に向かって牙をむきだしにして吠えたてる様に等しい。松竹がみずからの著書で主張しているところの、「急迫不正の主権侵害にたいする自衛隊の活用」「自衛隊合憲」「安保条約第五条の運用」などの〝提言〟こそは、ほかならぬ日共・志位指導部が二〇一五年いらい唱えてきた「国民連合政府」構想と瓜二つのものなのだからである。

当時の安倍政権による侵略戦争法案の採決強行を阻止すべく巨万の労働者・学生・人民が国会前を埋めつくすデモンストレーションに全力を傾注していたそのさなか（二〇一五年九月）に、はやばやと戦争法成立を見越して第四回中央委員会を設定し、そこにおいて「戦争法廃止の国民連合政府」構想をうちだしたのが日共中央なのだ。彼らは、改憲派も安保賛成派も巻きこむために、「戦争法反対」「立憲主義と民主主義を守れ」の「一点での共同」を叫びたて、「ファシズム反対・安保反対」を掲げる革命的学生たちの闘いに敵対しつづけてきた。党内では「『反安保』と言うと『革マル』と言われる」という党員が広範に生みだされているほどである。

それだけではない。元防衛官僚・柳澤協二を代表とする「自衛隊を活かす会」の事務局長の座にすわった松竹を最大限に利用して、「専守防衛の自衛隊活用」という政策を喧伝してきたのが志位指導部なのだ。「軍事や国際貢献を語る新しい護憲運動」などと吹聴し、日共系下部党員や労組活動家を「自衛隊に感謝する」運動や「自衛隊員の人権守れ」運動に組織化してきた松竹、この輩を代々木官僚は批判するどころか、各地の平和委員会、非核の政府を求める会、九条の会や日共系が執行部を握っている労働組合において講師として招き学習会を開催してきたのだ。『しんぶん赤旗』の全三段広告には、松竹の著書を学習推奨文献として堂々と掲載してきたのは志位指導部ではないか。

たとえ、代々木官僚が「党の基本政策」としてはなお「安保廃棄」を一応は掲げているのだとしても、その内実は、「異常なアメリカ言いなりをただす」と称して日米軍事同盟の存在を前提としてアメリカの「異常な特権」をただしＮＡＴＯ並みの「対等・平等の日米関係」に改良するというものでしかない。それは、『アメリカが日本を守るとしても、核兵器だけは使ってほしくない』……これは、安保条約を肯定する人もふくめて広範な人々が賛成できるはず」(党平和運動局長・川田忠明、『前衛』一八年八月号)などという中央官僚の言辞にもしめされているのだ。

ほかならぬ代々木官僚じしんがこの超右翼分子・松竹を「自衛隊合憲・安保堅持」の主張を党内に浸透させるための先兵として重用してきたのであって、それゆえにこそ、「党規約違反」を盾にしての〝松竹除名〟なるものは、当然にも党中央への下部党員からの猛然たる反発と批判を呼び起こし、党組織の上を下への大混乱を引き起こさずにはおかない。

こうした党組織の危機をのりきるために、志位をはじめとする日共中央官僚どもは、「野党共闘と日本共産党への攻撃」と「ロシアのウクライナ侵略を契機とした軍事力大増強」という「二重の大逆流」を押し返せ、などと官僚然として発破をかけている。昨年七月の参議院選における日共の大惨敗によって一気に加速した党的危機をのりきるために開催した七中総(今年一月)においては、下部党員に向かって「〝がっかり感〟を〝元気〟に変えながら」活動せよだの、「困難があるからと党づくりを諦めるならば、党の未来はなくなります」だのという説教をくりかえし、「一三〇%の党」などという新たなシンボル操作をもって党員・活動家を党勢回復に駆りたてている(志位の幹部会報告)。

だが、彼らのいう「党勢の退潮」なるものは、岸田政権の大軍拡・改憲・安保強化にたいして日々たたかいつづけている多くの労働者・人民から日共が愛想をつかされたことの結果にほかならない。

ところで、彼らは松竹にたいして「党規約が定めたルールに反した」とか「綱領と党規約の根本を否定した」とかという非難を投げつけているのであるが、それは実に形式的なものでしかない。それにくわえて志位指導部は、「言論・出版の自由」に反するという松竹やマスコミの非難にたいしては、「結社の自由」にかんする最高裁判例を対置する(志位や政治部長・中祖寅一)。すなわち、「党員が政党の存立及び組織の秩序維持のために、自己の権利や自由に一定の制約を受けることがあることも当然である」(一九八八年最高裁判示)と。それにしても、党内反対派を粛清するというスターリニスト党の統制処分＝粛清を正当化するために、なんとブルジョア国家の裁判所の判例をもちだすとは！　まさに正真正銘のブルジョア政党への転落をしめす事態ではないか。

いまや立憲民主党にはそっぽを向かれ、同時にわが革命的左翼の批判とこれに揺さぶられた下部党員の猛反発に直面して、自己保身に駆られた代々木官僚は、「自衛隊・安保第五条の活用」を積極的に唱えることは当面は回避して、党内に向けてとにかく「安保廃棄・自衛隊解消」が「党の基本政策」なのだという弁明に汗だくとならざるをえない。「国民連合政府」樹立のために「保守層との共同」を拡大するという、二〇一五年いらい彼らがとってきた基本路線はいまや凄絶な破産を遂げたのである。

こんにち、志位指導部は、「日米安保条約廃棄、自衛隊の段階的解消が綱領にもとづく党の政策的立場」などと精一杯おしだしながらも、同時に、「憲法第九条改悪絶対反対」さえも後景に退けたうえで「岸田大軍拡ストップの一点での立場のちがいを越えた大同団結」なるものを喧伝している。日本維新の会や国民民主党との共闘を追求しはじめた立民が「論憲」を前面におしだしているなかで、なおも立民にすがりつき〝政権ありつきパラノイア〟を昂じさせているのが志位指導部なのだ。

こうして代々木中央官僚どもは、松竹の言説が党内に浸透することを黙認するだけではなく、「保守層との共同」を広げていくためにみずからが松竹の主張にお墨付きを与えてきた。

その最深の根拠こそ、「発達した資本主義の成果」の「継承・発展」による「社会変革」が「社会主義・共産主義の大道」なのだという日共の新「命題」(二〇二〇年一月、日共第二十八回党大会における改定綱領)にある。それは、国家独占資本主義に拝跪する真正の修正資本主義路線の完成＝〈アンチ革命〉の紋章にほかならない。〝政権ありつきパラノイア〟にとりつかれ保守諸勢力との「共闘」を自己目的化している志位指導部は、いまや本質的にプロレタリア階級闘争・革命運動への敵対者へと転落しているといわなければならない。

日共指導部が、もはや〈ポスト資本主義〉感覚さえも喪失し、現存資本主義を永遠の秩序とみなしていることは明らかである。前世紀末のスターリン主義ソ連邦の自己崩壊と同時に露わとなったところの、帝国主義各国の対抗的軍備拡張による経済的荒廃およびマネーゲームの横行――いままさに生命力を喪失し死の痙攣を開始しているこの現代資本主義の末期性を直観することも省察することもできないのが代々木官僚どもなのである。

資本制社会の変革の必然性をば、この社会においてある否定的存在であるがゆえに変革主体となりうるプロレタリア階級を歴史の創造主体にして明らかにするところの革命思想、すなわち唯物史観を彼らが投げ捨てている以上、それは当然のことなのである。

すべてのたたかう労働者・学生諸君！　いまなお「マルクス」の名を騙りながら「保守層との共同」を自己目的化し、修正資本主義路線を徹底化している代々木官僚＝転向スターリニストを、階級的憤怒を込めて弾劾せよ！　ウクライナ反戦闘争、反戦反安保・改憲阻止闘争をおしすすめるただなかで、代々木共産党を革命的に解体する闘いをくりひろげ、良心的日共党員たちをわが反スターリニズム運動の隊列に獲得しようではないか！

日共式「岸田大軍拡反対」方針の反労働者性

茅ヶ崎 洋

二〇二三年六月二十一日に幕を閉じた今国会において、岸田自民党政権は、日本を軍事強国へと押しあげるための極反動法を次々と制定した。この日本型ネオ・ファシズム政権の攻撃にたいして、六波にわたる対国会闘争に連続的に決起したのが全学連のたたかう学生であり、「連合」労働貴族や「全労連」のダラ幹の闘争抑圧と歪曲に抗して各職場での闘いを創造してきたのが戦闘的・革命的労働者なのだ。

だが、この決定的なときに日本共産党の志位指導部は、岸田政権の軍拡財源法制定阻止の大衆的闘いを呼びかけもしなかっただけではない。彼らは、国会会期末が迫るなかで首相・岸田文雄が「解散・総選挙」の恫喝をしかけたことにたいして、ただただ、「解散をもてあそんではならない」などと悲鳴をあげ完全に腰砕けとなったのだ。

すべてのたたかう労働者・学生は、闘争放棄を決めこむ日共中央を弾劾し、反戦反安保・改憲阻止・ネオファシズム反動化阻止の闘いの爆発をかちとろうではないか！　心あるすべての日共党員諸君！　腐敗した志位指導部と決別し、わが同盟とともに＜軍事大国化阻止！＞の闘いに起ちあがれ！

Ⅰ　反動諸法制定阻止闘争の完全な放棄

『しんぶん赤旗』紙上で彼らは、岸田政権の「敵基地攻撃能力の保有や軍事費二倍化、原発回帰など日本政治の大転換」にたいして「正面からたたかったのは日本共産党だけでした」などとほざく。

だが、厚顔無恥にもほどがあるというものだ。今国会において岸田政権が強行した軍拡二法をはじめとする極反動法制定の攻撃にたいして、日共中央は、大衆的反撃の闘いを組織化することを基本的に放棄し日共議員どもは粛々と採決に応じたではないか。

そして、日共中央に盲従する「全労連」幹部は、軍需産業強化法、軍拡財源確保法などの極反動法案の採決にさいしても、国会前闘争に組合員を組織化することをネグレクトしてきた。

岸田政権が全体重をかけて強行せんとしている改憲・大軍拡の攻撃にたいして、代々木官僚および日共系ダラ幹はこれを阻止する労働者・学生・人民の全国的な闘いを組織化することも呼びかけることもしない。まさにこれは、反戦反基地反安保闘争や改憲阻止闘争の高揚のために日夜奮闘している労働者・人民にたいする実に許しがたい裏切りといわずしてなんというべきか。

ロシアのウクライナ侵略に反対する闘いにかんしても、代々木官僚は闘いの組織化を完全に放棄してきた。ロシア特殊工作部隊によるウクライナ南部カホフカの巨大ダム爆破にたいしては、機関紙上においてさえ弾劾も非難もしていない。プーチン・ロシアのウクライナ諸都市へのミサイル攻撃を弾劾する闘いも完全に放棄しているのだ。そもそも彼らは、ロシアのウクライナ侵略開始から一年の二月二十四日の日比谷野音集会に、「全労連」傘下の一部の単組をのぞいて日共系諸団体はのきなみ結集をサボタージュした。

「たたかうウクライナ人民との連帯」を呼びかけ

るわが革命的左翼のイデオロギー的砲火に揺さぶられた良心的な党員たち、「ロシアよりもNATOが悪い」などと主張するゴリゴリのスターリニスト、そしてこうした党組織の分解の危機をのりきるために「国連憲章守れの一点での団結」を訴えることに汲々とする志位指導部、――これらの対立のゆえに、ウクライナ反戦の運動から逃亡したのが日共中央なのだ。

二〇二一年の総選挙、二二年の参院選挙につづいて二三年春の統一地方選挙においては、道府県議選、政令市議選、区市町村選あわせて一三五議席を失うという大惨敗を喫してきた。いまや党消滅にむかって急坂を転げおちる日共中央は、少しでも衰退の危機をおしとどめるために票田開拓に大童となっているのである。こうした党組織の惨状を決定している路線的破産をごまかし下部党員に向かって居直るために、志位は「政治対決の弁証法」なるものをもちだしている。いわく「支配勢力による攻撃といかにたたかってきたか、その中でどういう成長と発展のための努力をはかってきたか。この立場で、私たちが今立っている到達点と展望を大局的につかむ」と（六月二十四日、八中総）。

よくも言った。岸田政権の大軍拡や改憲の攻撃にたいして、「市民と野党の共闘」の名のもとに立憲民主党や「保守層」に受け入れられる右翼的代案の緻密化に「努力」してきたのがおまえたちではないか。「自衛隊解消」を解消し「安保廃棄」を廃棄してきたことの結末が、こんにちの代々木共産党の「到達点」ではないか。

こんにちの日共中央は、「野党共闘と日本共産党に対する攻撃とともに、ロシアのウクライナ侵略を契機とした軍事力増強の大合唱という『二重の大逆流』」ということをくりかえし強調している。（四月二十四日の常任幹部会声明や志位、小池らの発言をみよ。）このことじたいが、彼ら代々木官僚が、岸田政権の大軍拡攻撃に完全に腰砕けになっていることをしめしているではないか。岸田極反動政権がいま、ロシアのウクライナ侵略を渡りに船として、〝日本も侵略に備えるべき〟などと称して画歴史的な大軍拡にうってでている。これに対決する思想的・イデオロギー的拠点を完全に喪失しているがゆえに、「二重の大逆流」などというみじめな悲鳴をあげているのが代々木官僚どもなのだ。

Ⅱ 「日米軍事同盟反対」の蒸発

日共中央は、岸田政権の大軍拡攻撃にたいして、「敵基地攻撃と専守防衛は両立しないから反対」とか「敵基地攻撃をおこなえば日本全土が戦場になる危険があるから反対」とかと唱え米日共同での対北朝鮮・対中国の攻撃体制の構築に反対する姿勢をおしだしてはいる。とはいえ、大衆運動場面において彼らは、「日米軍事同盟反対」を一言も語ることはないのである。

日共中央は、〝情勢分析〟上においては、敵基地攻撃体制の構築に突進する岸田政権の攻撃を、「『統合防空ミサイル防衛（ＩＡＭＤ）』のもとで、米軍と自衛隊が融合し、海外での先制攻撃戦争」をおこなうためのものなどと論じてはいる。だが、方針上においては、結局のところ〝「専守防衛」を守れ〟と政府にお願いするにすぎず、大衆運動場面においては「反安保」を完全に蒸発させているのだ。わが革命的左翼の批判を恐れて、ただアリバイ的に「『アメリカいいなり』の政治をただす」とか「日米安保条約を国民多数の合意で解消する」とかと下部党員に向かって語っているのだとしても、そうなのである。

バイデンのアメリカに日米軍事同盟の鎖で縛られた「属国」日本の岸田政権が、対北朝鮮・対中国の先制攻撃体制の構築を中軸として日米軍事同盟の強化に血道をあげている、これにたいして〈反安保〉の旗高くたたかう立場を完全に喪失しているのが代々木官僚なのだ。

ソ連邦崩壊以後、「一超」軍国主義帝国の座に君臨してきたヤンキー帝国主義はいまや、「世界の覇権」を獲得せんとしている中国を独力で封じこめる軍事的・経済的力を喪失するほどまでに凋落ぶりをあらわにしている。この米中が激突する現代世界のまっただなかで、岸田政権は軍事強国・日本へと一挙に雄飛しようとしている。まさに、日米軍事同盟を基軸として、アジア太平洋地域における米日韓豪の軍事同盟と、欧州を主舞台としたＮＡＴＯとを一体化し、対中・対露のグローバルな軍事包囲網を構築する、――その先導役をアメリカ権力者の要求に応えて岸田政権が買ってでようとしている。

これじたいが、日米軍事同盟の対中攻守同盟としての飛躍的な強化を画する一大攻撃なのであって、それゆえに、岸田政権による先制攻撃体制の構築をはじめとする空前の大軍拡の攻撃を打ち砕くためには、〈日米の対中攻守同盟強化反対！　日米のグローバル同盟反対！〉のスローガンを高々と掲げ反戦反安保闘争を推進するのでなければならない。

それだけではない。日共中央は、ネオ・スターリニスト国家・中国の東シナ海・南シナ海における軍事的威嚇という反プロレタリア的犯罪を完全に免罪しているのだ。

「台湾の中国化」を「中華民族の偉大な復興」のための「核心的利益」と叫ぶ習近平政権は、台湾周辺海域に海空軍を常時展開し、さらに台湾をも超えて西太平洋へと展開させている。台湾および日本の権力者のみならず労働者・人民を傲然と威嚇し戦争勃発の危機に叩きこんでいるネオ・スターリニスト権力者の、この犯罪についてなにひとつ弾劾することもないのは、代々木官僚のネオ・スターリニストとしての本性を赤裸々にしめすものではないか。

「専守防衛」の理念化

こんにちの志位指導部は、「憲法第九条への自衛隊の明記」という自民党の改憲案に真っ正面から反対することさえも後景に退けている。まさにそれは、５・３憲法集会において志位が「九条改憲反対」を一言も言明することなく「平和も暮らしも壊す岸田政権の大軍拡ストップ――この一点で、立場のちがいを超えて大同団結」せよなどという発言に終始したことに鮮明にしめされている。いまなお「国民連合政府」を樹立するために「市民と野党の共闘」を広げるという路線を護持している彼ら日共中央は、「論憲」を唱える立憲民主党の顔色をうかがい、「九条改憲絶対阻止」を明言することさえ曖昧にしているのである。「連合」会長・芳野友子の恫喝をうけた立民代表・泉健太が〝共産党とは選挙協力はしない〟と誓約しているにもかかわらず、なおも立民に〝選挙協力に応じてほしい〟などと未練たらたらのみじめな姿をさらしているのが志位指導部なのだ。

志位指導部の大軍拡・改憲反対方針の最大の強調点は、「専守防衛に徹する」「日本を守るため」ということにあう岸田政権の「二つのウソを暴く」というところにある。ここには、彼らが、みずからの「改憲反対」方針を、歴代自民党政府が標榜してきた「専守防衛」理念なるもので基礎づけていることが鮮明になっているではないか。このことは、彼ら代々木官僚が、「戦力不保持・交戦権否認」を明記した憲法第九条についての解釈を、実質上は「専守防衛」すなわち〝海外派兵は認めないが日本防衛のための軍事力の保持は認める〟というものへとすり替えていることを意味する。彼らの「改憲反対」の内実は、実質的には「専守防衛の自衛隊」を容認するものへと完全に変質しているのだ。

だが、政府・支配階級が「北朝鮮や中国の脅威」を煽りたてつつ鼓吹している「日本防衛」なるイデオロギー、そのブルジョア階級性を暴露することもなく、ただただ「専守防衛にとどめよ」などと要求するのは、弱々しいではないか。一般に、支配階級たる独占ブルジョアジーおよびその代弁者たる権力者どもは、おのれの階級的諸利害を社会全体の利害として妥当させ通用させるために国家をうちたてる。この国家の幻想性、したがって「国防」イデオロギーの虚偽性をなにひとつ暴きだすこともできないのが代々木官僚なのだ。

日共中央のこうした錯誤は、みずからの代案を案出するさいに「日本国家の国益の防衛」という独占ブルジョア的な理念をみずからのイデオロギー的基準としてとりこむほどまでに思想的堕落を深めていることにもとづくのだ。

Ⅲ　日共式〝統一戦線戦術〟の破綻

このかん、代々木官僚は、「保守層」や立憲民主党におもねって「国民連合政権の政策」と称して「自衛隊の活用」や「安保条約第五条の活用」などの超右翼的代案の策定に腐心してきた。その旗振り役として党中央が活用してきたのが、元党官僚の松竹伸幸である。元防衛官僚や自民党政治家や一部ブルジョアどもと気脈をつうじたこの右翼的分子に引きずられて、少なからぬ党員が「自衛隊活用・安保堅持」を党の基本政策に明記すべしという右翼的政策修正を党中央に迫るという事態が引き起こされている。他方では、わが革命的左翼の反戦反安保闘争に揺さぶられている良心的党員が志位指導部にたいする批判をつきつけている。

こうして日共党組織じたいが、上を下への大混乱と分裂に見舞われている。このゆえにこそ、代々木官僚は、自衛隊や安保の是非について言及することはできない。彼らは、反戦平和の大衆運動にとりくめばとりくむほど党組織の瓦解がすすんでしまうことを心底おそれているのである。

これこそ、立憲民主党などとの「国民連合政権」を樹立するために「保守層との共同」を追い求める日共式〝統一戦線戦術〟の破綻をしめすものいがいのなにものでもないではないか。同時にそれは、日共議員の議席を少しでも拡大するために、「現実的政策」と称する右翼的代案の策定に腐心してきた議会主義的錯誤のなれの果てにほかならないのだ。

心あるすべての日共中央が、党組織崩壊の危機を招いたみずからの錯誤をなんら自己批判することもなく、「政治対決の弁証法」なる詭弁でのりきろうとすることを断じて許してはならない。この脱色したネオ・スターリン主義官僚と決別し、わが革命的左翼およびたたかう労働者・学生とともに反戦反安保・改憲阻止の巨大な戦列を創造するために奮闘しようではないか。

Ⅳ　「日中両政府への提言」の犯罪性

こんにちの日共中央は、とどまるところを知らない腐敗・変質をさらけだしている。彼らは、①「互いに脅威とならない」という日中共同声明（二〇〇八年)、②尖閣諸島問題などは「対話と協議」で解決する日中合意(二〇一四年)、③「ASEANインド太平洋構想」(AOIP)を目標とした東アジア地域の協力、——これらを「共通の土台」とした「外交努力」なるものを岸田・習近平両政権に要請する「提言」を発表した(三月三十日)。そして「〔日中〕双方から肯定的な受けとめが得られた」などと欣喜雀躍して喧伝しているのが志位指導部である。「敵基地攻撃能力保有と大軍拡に対するわが党の厳しい立場は明確ですが、それを『提言』のなかではあえて書いていません」などとわざわざ断りをいれながら。

このような「提言」なるものは、日共中央が現代世界において高まる熱核戦争勃発の危機を突き破る反戦の闘いから完全逃亡していることをおし隠す煙幕いがいのなにものでもない。日共中央は、自党を現実政治を動かす党であるかのように見せかけるために、この「提言」を「両国政府が受け入れ可能であるがゆえに「現状を前向きに打開するうえで実効性のある内容」だなどと喧伝しているのだ。だが、米日両権力者による対中軍事包囲網強化を弾劾することも、中国の台湾併呑のための軍事力強化の犯罪性を弾劾することもない「提言」など、なんの力をもつというのか。

見よ! バイデン政権に尻を叩かれた日本帝国主義の岸田政権は、日米軍事同盟を対中攻守同盟として飛躍的に強化するとともに、日米安保条約などの国際法的根拠がないにもかかわらず、「2プラス2」のガイドラインや円滑化協定などの軍および武器・弾薬の運用にかかわる国際的取り決めにもとづいて韓・豪・英およびNATOとの軍事的連携を強化しているのだ。現に岸田は、NATO日本事務所の設置要請にのりだし、またNATO史上最大の軍事演習に日本国軍を歴史上はじめて派遣した。

この米・日両権力者の攻撃にたいして、労働者階級を中核とする全人民の反戦反安保闘争を組織することなくして、岸田や習近平などの権力者にたいして〝「共通の土台」に立ってください〟などとお願いするというのは、こうした権力者どもが軍事政策と一体で展開する瞞着外交にたいする、労働者・人民の幻想を煽ることにしかならないのだ。

彼らがこうした錯誤に陥る主体的根拠こそは、日米軍事同盟の帝国主義階級同盟としての本質を無視抹殺し、日米軍事同盟が存在することを前提として現存政府が「平和の外交政策」を即採用することが可能であるなどと観念していることにある。

そして、中国の習近平政権にたいしては「覇権主義・大国主義」という非難を棚上げし、猫なで声ですり寄っているのが志位なのである。

代々木官僚どもは、二〇二〇年一月の第二十八回党大会において、中国を「世界史の重要な流れ」をつくっている「社会主義をめざす国」と規定していた部分を綱領から削除し、この中国を「大国主義・覇権主義」の「大国」として断罪した。まさにそれは、習近平中国の南シナ海・東シナ海における威嚇的軍事行動をはじめとする反人民的な策動にたいするわが革命的左翼の徹底的な批判の嵐をまえにして、代々木官僚じしんが自己保身を募らせたからである。

けれどもこんにち、彼らは、この中国にたいして「中国包囲網のような軍事ブロックをつくっていくという排他的アプローチではなく、中国も包み込む形での地域的な平和秩序をつくっていく包括的なアプローチが大切である」などと語っている。二〇二〇年いらい一応は語ってきた「東シナ海・南シナ海での覇権主義的行動」という習近平中国への非難を後景化させて、「対話と協議」とか「協力」とかを国家権力者がすすめれば「平和」が訪れるなどという幻想に浸っているのだ。

いまや代々木官僚は、現存する帝国主義国家およびネオ・スターリン主義国家の階級性・党派性を不問に付して、米・日や中国のそれぞれの権力者が「外交的話し合い」をすすめることをつうじて「平和の国際秩序」を形成するならば熱核戦争の勃発を抑止しうるなどという妄想にとりつかれている。そして労働者・学生・人民の反戦の闘いを、この権力者間の外交交渉を尻押しするものへと解消しているのだ。

現に東アジアにおいては、米・日両権力者と中国権力者との軍事的角逐によって戦争勃発の危機がうみだされている。この危機を突き破るためには、これら権力者どもの軍事政策の展開に反対する労働者

・人民の反戦の闘いを創造するのでなければならない。中国の「力による一方的な現状変更」にたいして「法の支配にもとづく国際秩序を維持する」と叫んで、帝国主義ブルジョアジーの階級的利害を貫徹するために日米軍事同盟を強化しているのが、米・日の両権力者にほかならない。これにたいして「社会主義現代化強国」への飛躍という世界制覇戦略にもとづいて中国のスターリニスト官僚としての党派的・官僚的利害――全世界のプロレタリアート自己解放の闘いに真っ向から敵対するそれ――を貫徹するために対米挑戦にうってでているのが習近平らのネオ・スターリニスト官僚である。

これら米・日―中の権力者どもはそれぞれの階級的・党派的の利害をかけて角逐しているのであって、この両者の非和解性を無視して「共通の土台」に立って話し合い外交をすすめれば「平和」が実現できるかのように吹聴するのは、労働者・人民の反戦闘争の組織化を阻害するものであり、反プロレタリア的犯罪いがいのなにものでもない。

以上みてきたような誤謬は、「国のあり方の根本を変える」と称する日共式「日本改革」の基本路線に決定されている。それは、「反帝・反独占の人民民主主義革命」というスターリニスト的「革命戦略」さえも完全に蒸発させ修正資本主義の党に転向したあげくのはてに、「野党連合政権」に日共が参画するという〝政権ありつき病〟に志位指導部が骨の髄まで冒されてしまっていることを最深の根拠とするのである。

米―中激突下で高まる世界大戦・熱核戦争勃発の危機を突き破る道はただひとつ、米・日と中国それぞれの権力者に支配されている労働者・人民の国境を越えた団結を創造し、これにもとづく反戦の闘いを組織化する以外にはありえないのだ。

すべての労働者・学生諸君！　われわれは、いっさいの大衆闘争を放棄し票田開拓に埋没する日共中央をのりこえ、反戦反安保・改憲阻止の闘いの断固たる前進をかちとるのでなければならない。たたかうウクライナ人民と連帯し、ウクライナ反戦の一大高揚をかちとろうではないか！

軍事強国化と一体の岸田式「新しい資本主義」

斯波顕太

岸田政権はいま、ロシアのウクライナ侵略を恰好の口実として、日米共同の先制攻撃体制の構築、南西諸島の軍事要塞化、軍事費の二倍増などの空前の大軍拡に突進している。

そしてこの大軍拡を強行するために、兵器産業・企業を国家資金で維持し保護する（国有化を含む）軍需産業基盤強化法案、大軍拡の財源に復興所得税を転用することなどを定める軍拡財源確保法案などを今国会で可決・成立させ、また武器輸出にかんしても、殺傷兵器の輸出を可能にする「防衛装備移転三原則」（運用指針）の改定を強行しようとしている。

それだけではない。この政権は、「国家安全保障に不可欠」とか「経済安全保障の確立が急務」とかと叫びながら、先端半導体をはじめとする軍民両用技術の開発と関連産業の育成を、かってない巨額の補助金（や官民ファンド）を投じて推進するという新たな産業・科学技術政策をうちだしている。

まさしく米―中・露激突下で〝アメリカとともに戦争をやれる軍事強国〟をつくりだすために、それと直結するような産業再生・技術開発を国家＝政府の主導のもとに一気呵成に貫徹しようとしているのが、岸田政権なのだ。——このような政策を採ることを、いま岸田は「新しい資本主義」なるスローガンで基礎づけ粉飾しているのである。

A　国家が主導する「新しい資本主義」

「市場依存」からの脱却

岸田政権はこのかん、現在の日本が「大きな時代の転換点」に立っていると叫びたて、「新しい資本主義への転換」を呼号してきた。——「自由放任主義」から「福祉国家」への転換、「福祉国家」から「新自由主義」への転換、これらに次ぐ「三回目の大きな転換」が必要である、と。

こうした「資本主義の転換」を進めなければならない理由として、彼らは次のようなことを列挙している(「新しい資本主義のグランドデザイン及び実行計画」、二〇二二年六月)。

①「市場の失敗」——「市場や競争に任せればすべてうまくいくという『新自由主義』のもとで、経済的格差の拡大、過度な海外依存による経済安全保障リスクの増大など多くの弊害を生んだこと。

②「危機管理リスクの増大」——コロナウイルス感染拡大やロシアのウクライナ侵攻などによって、特定国・地域に依存するサプライチェーンでは国家の経済安全保障が確保できないことが露わになったこと。

③「権威主義国家による挑戦」——「権威主義的国家資本主義とも呼べる体制を採用する国」が、自由経済のルールを無視して経済成長をなしとげ、国際政治における影響力を拡大してきたこと。

④「〔西側資本主義〕各国による官民一体の大規模投資」の競い合い——デジタル化、最先端技術などへのそれ。

これらを挙げたうえで、岸田政権は次のように宣言している。——

「これまでの転換が、『市場か国か』、『官か民か』の間で振り子の如く大きく揺れ動いてきたのに対し、新しい資本主義においては、市場だけでは解決できない、いわゆる外部性の大きい社会的課題について、『市場も国家も』、すなわち新たな官民連携によって、その解決を目指していく」、と。

ここにいう「外部性の大きい社会的課題」とは、気候変動やパンデミックだけでなく、何よりも戦争などの国家間の緊張激化と・それと直結する「経済安全保障リスク」などにかかわるそれである。政府は、中国や北朝鮮の「軍事的脅威」に対抗しうるような軍事力の大増強、すなわち兵器・軍需物資の生産や供給の問題をもそこに含めているのである。こうした様々な〝経済外〟的要因によって生じる「社会的課題」について、これまでのように「市場に任せ」ていたのでは日本国家の存立にとっての命取りになる。――このような危機意識に駆られて「資本主義の転換」を叫んでいるのが、岸田政権なのである。

「権威主義国家」への対抗

いいかえれば、岸田式の「新しい資本主義」なるものの核心は、何よりも「権威主義国家」としての中国（やロシア）による軍事的・経済的な「挑戦」にたいして、日本帝国主義（国家）の延命のために、軍事力基盤確保や高度技術開発やエネルギー・食糧の確保などの産業上・経済上の最重要「課題」を、――アメリカをはじめとする同盟国との協力を基礎としつつ――国＝政府が主導して〝挙国一致〟で解決をはかる、ということにこそある。

いま習近平・中国が、ネオ・スターリニスト官僚専制体制を基礎にして、米・欧に対抗する核戦力増強や高度技術開発や新産業振興を即決・即行でおしすすめている。こうした中国の「抬頭」と「挑戦」を、「すべてを市場や競争に任せればうまくいくという『新自由主義』の考え方」にもとづいて「自由貿易」や「技術移転」を野放図にやってきたから招来した「失敗」であると〝総括〟し、その結果としての中国への「過度な依存」がかえって「経済安全保障リスク」を高めてしまっている、というように危機感を昂じさせているのが、岸田政権なのだ。まさにそれゆえに、サプライチェーンの寸断などの「経済安全保障リスク」の問題、そして戦争と軍備拡大、気候変動やパンデミックなどの「社会的課題」に日本国家が機動的に対応していくためには、「権威主義国家」に対抗できるだけの〝強い権力〟をもち、経済・軍事・社会政策を迅速かつ強力に貫徹する体制をつくりださなければならない、と彼らは考えているのだ。

そのために岸田政権は、首相＝NSC（国家安全保障会議）専決の支配体制をこれまでにも増して強化しつつ、軍事関連および軍民両用の戦略物資の確保や戦略的高度技術の開発、重要インフラ（原発・核燃料サイクルを含む）の構築などにかんしては、アメリカをはじめとする同盟諸国との連携と協力を基礎としつつ、政府＝国家が主導し、膨大な国家資金を投じて官民連携のプロジェクトとして実現する、という路線をはっきりとうちだしたのである。

B 「国家安全保障」と経済・産業政策との一体化

「安全保障」の前面化

岸田政権は、この「新しい資本主義」政策の内容として、「国家の安全保障」（軍事）や「経済安全保障」の強化と直結するような経済政策・産業政策・科学技術振興政策などを前面に掲げている。

「新しい資本主義のグランドデザイン」では、次のように明記されている。

「国民を豊かにする新しい資本主義の実現のための基礎的条件は、国家の安全保障である。現下の絶えず変化する国際情勢を背景として、エネルギーや食料を含めた経済安全保障を強化することは新しい資本主義の前提である。」

このようにこの政権は、現在の激変する国際情勢、すなわちロシアのウクライナ侵略と・それと連動した東アジアにおける台湾危機の昂進、そして中・露に後押しされた北朝鮮の核兵器・ミサイル開発などに促迫され、それを口実としながら、「国家安全保障」・「経済安全保障」の観点を露骨におしだしているのである。

ロシアのウクライナ侵略、そして中国の台湾にたいする併呑の策動などにたいして、「統合抑止」のスローガンを掲げ、「同盟国」の力を動員して対抗しようとしているのが、アメリカ帝国主義のバイデン政権である。日米軍事同盟の強化を基礎にしながら、「属国」日本の軍事力のみならず経済力・技術力をも最大限に利用しようとしているのがこの政権であって、このバイデン政権に積極的に応えるかたちで、日本帝国主義国家の生き残りを追求しているのが岸田政権なのである。その柱が、「安全保障政策の大転換」と称する日米共同での先制攻撃体制の構築であり防衛費の倍増であり、そして半導体などの高度軍民両用技術におけるサプライチェーン構築および共同研究開発のためのいわゆる「同志国」との「経済安保」連携の強化なのである。

国策としての先端半導体確保体制の構築

たとえば、「二十一世紀の産業のコメ」であり「データ社会のエンジン」であると目されているだけでなく、何よりも現代ハイテク兵器の必須デバイス(部品)となっているのが、先端半導体である。AIや自動運転や量子コンピュータなどの開発に欠かすことができないこの先端半導体にかんしては、米・欧・中などの各国政府が、相互に対立しつつ莫大な国家資金を投じて自前のサプライチェーンの構築にのりだしている。

アメリカ・バイデン政権はこのかん、中国の先端半導体国産化を阻止するための強力な禁輸措置をしかけるとともに、先端半導体の製造拠点を米国内に確保するために、CHIPS法を制定して台湾のTSMC(台湾積体電路製造)や韓国のサムスン電子、そしてインテルの国内工場建設などに莫大な補助金を供出している。それは、先端半導体の製造・供給のほとんどを台湾や韓国に依存しているという「地政学的リスク」を緩和するためでもある。そしてアメリカは、中国を〝兵糧攻め〟にしたうえで自国中心のサプライチェーンを再構築するためにこそいま、日本・韓国・台湾との半導体連携＝「Chip4」をつくりだすことに狂奔しているのである(本誌第三二一号・深水論文参照)。

このバイデン政権の働きかけに積極的に応えて、「経済安保」の観点から、対中デカップリングを前提としての・日本の半導体産業の再興を、日米連携

（「半導体協力基本原則」にもとづくそれ）を基礎にして進めようとしているのが、日本政府・岸田政権である。この政権はいま、日本が先端半導体の製造能力を喪失している現状をなんとか打破しようとして、ＴＳＭＣ工場の日本（熊本）誘致と国策会社＝ラピダスの設立・支援に猪突猛進している。そしてまた、アメリカ中心の西側半導体サプライチェーン構築における要衝の地位を確保するために、これまで国際市場における優位性を保持してきた半導体製造装置や半導体素材（シリコンウエハーや感光剤）などの分野を国策として保護し支援しようとしてもいる。

これらの政策を貫徹するために岸田政権は、投資や研究開発を個々の企業に任せるのではなく、国家予算から巨額の補助金を供出したり、国家資金を呼び水に民間資金を集めて官民ファンドをつくったりしている。〔すでに、ＴＳＭＣの熊本工場建設には四七六〇億円、キオクシア（旧東芝メモリ）の四日市と北上の工場の設備投資に九二九億円などの膨大な補助金投入が決定されている。〕

そのばあいに政府・経済産業省が音頭をとって官民連携の事業体を起ちあげるという方式をとったのが、「日の丸半導体復活」を標榜する国策会社＝ラピダスである。日本政府は、このラピダスが、アメリカＩＢＭやベルギーのＩｍｅｃとの協力を基礎にして二〇二七年までに台湾ＴＳＭＣに対抗しうる二ナノメートルクラスの最先端半導体の量産をめざす、という「計画」をぶちあげた。これは、アメリカ政府からすると、今日では完全なファブレス企業（製造部門をもたない企業）と化しているＩＢＭを再興するために、その製品の製造を担うファウンドリー（受託製造企業）としてラピダスを日本政府の資金で育成させ確保する、という虫のいい計画にほかならない。ＩＢＭとアメリカ政府の口車に乗せられた岸田政権・経産省は、この夜郎自大な〝夢〟を実現するために、世界最大の国家累積債務などは歯牙にもかけずに、国家財政から巨額の資金を投じようとしているのである。〔現在の初期段階ですでに三三〇〇億円の国費投与を決定しているが、ラピダス側は「総額五兆円の投資が必要」と言明しており、国費からの供与額は計画が進むに連れてさらに膨れあがるに違いない。〕

今日版の〝総力戦体制〟づくり

このように日本を〝アメリカとともに戦争をやる軍事強国〟へと飛躍させるとともに、莫大な国家資金＝血税を投入してそれを支える軍民両用の高度技術を開発し、軍事と直結した戦略的先端産業（軍需産業そのものも含む）を保護し育成する。――こうした「経済安保」重視の経済＝産業政策が、岸田の「新しい資本主義」の主柱をなす。いいかえれば、国家＝政府が主導して「国家安全保障」と経済再生＝産業振興とを一体的に推進する政策を経済・産業政策の基本路線として採ることを、岸田政権は「新しい資本主義」の名において宣言しているのである。

そして、こうした産業政策を貫徹するために、とりわけ外資企業との連携・統合を進め〝外国人材〟をとりこむために、それにとっての「桎梏」とみなした日本的労働慣行を破砕する「三位一体の労働市場改革」なるものを、「連合」労働貴族の協力のもとに強行しようとしているのが、この政権なのだ。〔先の「半導体産業再興」プランを実現するためには、高度な技術性をもった半導体技術者が大量に必要となるのであるが、日本国内においてそうした技術者は決定的に不足している。それゆえに政府はその多くを〝外国人材〟に求めようとしているのである。〕

さらにまた、日本学術会議などを強権的に改組して〝学界〟に軍民両用（デュアルユース）研究を全面的に受け入れさせ、もって官・軍・産・学共同の軍事技術の開発体制を一気に構築しようとしているのである。

まさにこれらは、米―中・露激突下の戦争的危機の深まりのなかで存亡の危機に直面している日本帝国主義国家の生き残りを賭けた、今日版の〝総力戦体制〟づくりとでもいうべきものにほかならない。

猛烈な物価高のもとでかつてない生活苦にあえいでいる労働者・人民から搾りとった血税を、未曽有の大軍拡に投じるとともに、軍需産業および軍民両用の戦略的先端産業の育成および再興に湯水のように投じているのが、岸田自民党政権だ。この日本型ネオ・ファシズム政権の悪らつな策動を、われわれは断じて許してはならない。

（二〇二三年五月一日）

「DX」と大失業・ギグワーカー化

飛鳥井千里

独占資本家どもと岸田政権はいま、「デジタル・トランスフォーメーション(DX)」を〝日本経済再生の最重要環〟としておしだし煽りたて、その「加速化」を呼号している。独占資本家とその政府が「推進」を叫んでいる「DX」なるもの——それは、日本の労働者たちを未曽有の大量失業と貧窮化と新たな電脳的疎外の奈落へと突き落とすものいがいの何ものでもない。

〔独占資本家と政府がおしだしているいまひとつのシンボルは「グリーン・トランスフォーメーション(GX)」＝「脱炭素革命」であるが、さしあたりここでは「DX」に限って論じる。もちろん「脱炭素化」は、自動車のEV化を見れば明らかなように最新のデジタル技術の導入と活用ぬきには進展しないのであって、「DX」と「GX」とは現実には密接に結びついて進行している。〕

A 「DX」とは何か？

独占資本家どもや日本政府が乱発している「デジタル・トランスフォーメーション(DX)」という用

語は、すこぶる大ざっぱで恣意的なものでしかない。われわれの観点からするならば、そこには次のようなことがらがすべて包みこまれている、と言える。

①日本の産業構造を、デジタル・ＩＣＴ（情報通信技術）関連の産業・企業をその中軸として育成することをテコとして全体的に再編成すること。——これは反面で〝斜陽〟と化した産業・企業を整理・淘汰することを意味する。

②特定の企業が自社の事業構造をデジタル・ＩＣＴ関連を中心とするそれに転換すること。——これは旧来の事業部門や不採算部門の閉鎖や切り売りと一体で進められている。

③企業が直接的生産過程や業務過程にＡＩ（人工知能）やＩｏＴ（モノのインターネット）やロボットなどの革新的なデジタル技術諸形態を導入すること。——これは同時に、それによって置き換えられる労働者の配転や解雇をもたらしつつある。

④企業や研究機関が革新的なデジタル技術諸形態を開発したり、このデジタル技術を駆使した新たなサービスやビジネスの領域（たとえば暗号資産やメタバースのようなもの）を創造し拡張したりすること（註1）。——これは人民をますますデジタル漬けにして電脳的疎外を強いるものにほかならない。

⑤商品の販売や金融などをもデジタル・ネットワークでおこなう社会インフラとシステムをつくること。——これは同時に、消費者としての人民が政府や巨大企業にデジタル・ネットワークで監視・管理・操作されることを意味する。

⑥国家・自治体などの行政・事務や警察などの諸機能・諸活動へのデジタルＩＣＴの導入。

こうしたことがらのすべてを包含したうえで、その暗黒面をおしかくし、それがすべての社会成員にあまねく〝幸福〟をもたらすものでもあるかのように人民を騙すために捻りだされた標語——それが、「ＤＸ」なのである（「Ｘ」とは、「超える」という意味の「トランス」が「クロス（交差する）」と重なるため、クロスの略記である「Ｘ」が使われた、とされる）。

これらのあらゆる領域での「デジタル革命」を早急にかつ一挙的に進めなければ、日本は世界の流れから完全に落ちこぼれてしまう。——このような危機感を、独占資本家どもはいま募らせている。GAFAMなどが牽引するアメリカと・これに対抗して新興ICT企業が簇生する中国との〝デジタル覇権〟をめぐる激烈な攻防戦のなかで、日本の産業・企業が生き残るためには、労働者・人民に「痛み」を強制しながら何がなんでも先端的なデジタル産業を育成し「デジタル強国」をつくりあげなくてはならない、と彼らは盲信している。またそれを進めるならば自分たちはかならずや莫大な利益を獲得できる、という強欲きわまりない〝期待〟に取り憑かれてもいるのである。このようなみずからの階級的利益を貫徹するためにこそ、独占資本家が捻りだしたシンボル・スローガンが「DX」なのである。

こうしたシンボルを掲げて独占資本家どもがいまつくりだそうとしている社会、彼らが思い描いている〝DXが進展した社会〟とは、およそ次のようなものである、と言えよう。——

社会のあらゆる部面に張りめぐらされ、インターネットで双方向・多方向につながった無数のデジタル情報端末（スマートフォン、監視カメラ、センサー、マイクロチップ……）。これをつうじて巨大企業や政府機関が社会や個人の膨大なデータを集めまくる。集めたビッグデータをAIで解析させ、資本家（政府）にとっての「有用情報」や利益極大化の「最適解」を提示させる。このAIの「提案」をもとにして、様ざまな企業や機関が、新たな「ビジネスモデル（金儲けのモデル）」を捻りだしたり、新たなサービス商品や技術形態を開発し創造してそれらを次々に市場に投入する。AIを駆使した広告やマーケティングによって「消費者」を選別・格付けしつつ、効率よく商品を買わせて人民からぶったくる。また経営者は、AIやそれを装備したロボットを自企業の生産過程や業務過程・流通機構に導入し、これらのプロセスを自働で制御させ、「省力化」＝「人員削減」を進める。こうしたAIを頂点とするデジタル技術諸形態の導入をテコとして、少子高齢化の時代における「労働力不足」をのりきるとともに、諸企業の「生産性」を向上させて労働者にたいする搾取を強化する。そして張りめぐらした無数のデジタル端末で「国民」の行動や思考を監視し掌握し誘導して、企業や政府にとっての「安心・安全」を確保する、等々。

――このようなものが、日本の独占ブルジョアどもが夢見ている「ＤＸ」であり、その向こう側にある経済・社会のイメージである。まさにそれは、ＡＩやデジタル・ネットワークを介して独占資本とその政府が労働者・人民をヨリ〝効率的〟に支配し搾取し収奪する社会いがいの何ものでもありえない。

Ｂ　ＡＩ導入による労働者の〝駆逐〟

独占資本家が夢見ているこのような「ＤＸ」が進展するならば、いったい生身の労働者はどうなってしまうのか？

すでに二〇一五年の時点で野村総研は、オックスフォード大学との共同調査にもとづいて、「十〜二十年後に、日本で働く人の仕事の四九％が人工知能やロボット等で代替可能になる」という推計を発表した。（註２）

「人工知能」＝ＡＩが「機械学習」の最高技術としての「ディープラーニング」によって新たな技術的段階に突入したのは、だいたい二〇一五年前後である。このＡＩ技術の飛躍的発展を基礎として、特定種類の労働＝職務にかんしては、〝賢くなった〟ＡＩマシンあるいはロボットの導入による「省力化」を、あるいはロボットによる人間の置き換えを、資本家どもは急速に進めつつある。

製造部門では、これによって製造ラインの「省力化」や「無人化」が急速に進展しつつある。

商業や対人サービスの部門では、経営者はコロナ不況下での売上減を逆手にとって、一気にデジタル機器による「代替」によって人減らしを進めている。スーパーや量販店では、「感染対策」をも弾みにしてセルフ・レジが急速に導入され、レジ係のパート労働者が大量に減らされた。外食チェーンでも、注文用のタブレット端末が一気に普及しただけでなく配膳ロボットが導入され、これらによって店舗で働く労働者の数は激減させられた。

ＩＣＴサービス業者では、顧客向けのいわゆる「リアル店舗」がどんどん撤去され、多くがネット営業に切り替えられた。銀行・金融機関がこれを追ってネットバンキングへの切り替えを加速させ、対面営業の人員を削減している。

間接部門・事務部門でも事態は劇的に進行している。複雑な構文を必要としないビジネス文書などの翻訳は、ＡＩの急速な性能向上によって機械翻訳に置き換えられ、人間はその〝校正者〟と化しつつある。最近では、「生成人工知能」の一種と銘打った「チャットＧＰＴ」のような自動作文システムが出現し、「人間が書いた」と錯覚するような〝もっともらしい文章〟を出力する。〔驚くべきことに日本政府は、この〝作文ＡＩ〟で国会答弁や行政文書を作成することを検討する、などと言いだした！〕

こうしたＡＩ＝人工知能の導入とそれへの依存が、人間知能そのものの破壊と空洞化（思考力の喪失）を招くことは火を見るよりも明らかである（註３）。だがそんなことは意に介さずに、ただただ「コスト低減」と「生産性向上」のために、ＡＩやロボットの導入を進めているのが、資本家どもなのである。

簡単なビジネス文書の作成や企業会計、資料の収集・管理・抽出、マーケティングのための基礎的データの分析、社員のスケジュール管理や簡単な秘書業務、運輸業の配送・輸送業務のリアルタイム管理、……。このような「定型的（ルーティン）」とみなしてきた諸業務・諸職務について、多くの経営者は、既存の労働者を雇いつづけるよりはＡＩを活用したほうが〝安あがり〟になる、とソロバンをはじきつつある。それゆえにＡＩシステムを導入しようとしている経営者たちは、これらの諸職務を担っていた労働者たちを大量に路頭に放りだすであろうし、現にいま放りだしつつあるのだ。

「労働移動」と「リスキリング」の嘘

資本家どもは、〝たとえこれらの仕事がなくなっても新たなデジタル分野の産業・職種が次々に生まれるからそこに労働者が移動すれば良い〟などとぬけぬけとほざいている。だが、そうしたデジタル新産業が雇い入れるのは、ほんの一握りの「IT人材」にすぎないことは歴然としている。それ以外の圧倒的多数の労働者たち――現在すでにこれら旧来の業務・職務を担っている労働者たちの多くは非正規雇用（あるいは「名ばかり正社員」）の低賃金労働者である――の首を、資本家どもは容赦なく切るであろう。

「DX推進」のもとで「整理対象」とみなされた部門や職種で働いている労働者たちは、みずからの〝首〟をつなぐためには、「デジタル化」に適応しうる技術・技能を「自己責任」で習得することを強いられている。このことを独占資本家や岸田政権は「リスキリング」などと呼んでいるのである。「リスキリング」とは、既存の労働者を「デジタル化」に適応させるために資本家が強制する労働力の鍛え直し（再―技能化）であり、それに適応しうるか否かを基準にしてふるいにかける選別・淘汰のことなのである。〔この点については、本誌第三二三号所収の『リスキリング』とは何か？」を参照せよ。〕

このような「リスキリング」によって「デジタル系職務に不適応」と烙印されてふるい落とされ、企業から放りだされた労働者たちは、直ちに失業と貧窮を強いられる。生きるために新たな仕事を求める彼らには、AI化やデジタル化が「経済的合理性に適わない」と資本家がみなしているような職種、たとえば介護とか清掃とかごみ収集とかの低賃金と過酷な労働条件を強制されている職種で、しかも非正規雇用のような劣悪な雇用形態で働くという選択肢しか与えられはしない。しかもしばしばギグワークなどと呼ばれている「個人請負」の形式をとった単発（スポット）契約の労働をおしつけられるのである。

二〇二〇年からのコロナ・パンデミック下では、ウーバーイーツに象徴されるような単発の「個人請負」労働が激増した。（註4）その増大は、けっして一過性のものでも一時的なものでもない。資本家どもは、労働過程へのAIやロボットの導入を進めれば大量に生みだされるであろう失業者を、必要なときにだけ仕事を与え仕事量にのみ対応してカネを支払う、そうした単発契約・スポット契約の労働者として、――しかもしばしばネットだけでコントロールして――とっかえひっかえ使おうとしている。彼らは、そうした〝使い捨て〟の働かせ方をどんどん増やそうとしているのである。

資本家どもがいま進めようとしている「DX」なるもの、その過程・結果において、大量の労働者が失業を強制され、さもなければ、このような過酷きわまる新たなかたちの日雇い労働、いわゆるギグワークを強制されざるをえないのである。

C　貧富格差の拡大と深まる電脳的疎外

このようにして多くの労働者をギグワークのようなかたちで働かせ、徹底的に搾取することをつうじて「持続」していく現代の資本主義社会。――それは、これまでにも増して凄まじい〝格差社会〟として現われている。

一方の極には莫大な富を独り占めにする一握りのデジタル億万長者と大企業経営者たち、他方の極には貧窮のどん底に突き落とされている大量のスポット請負や日雇いの、しかもダブルワークやトリプルワークをしなければ生きていくことができないような労働者たち――こうした空前の貧富の格差が現にいま生みだされている。

日本において一九九〇年代以降に急増した非正規雇用労働者は、マルクスの言う相対的過剰人口（「産業予備軍」）の今日的形態という性格を刻印されてきた。好況で労働力が不足した時期には主婦や学生を非正規雇用のかたちで産業・企業に吸収して安い賃金でこき使い、不況になればその首を切って企業外に放りだす。このようにして資本家どもは、非正規雇用労働者を、正社員の賃金上昇を押しとどめるとともに、使う労働力を自在に調整するための〝緩衝装置〟として利用してきた。二〇二〇年以降のコロナ不況下で資本家どもは、まっさきにこれらの非正規雇用労働者の首を切った。そしていま、「ポストコロナ」に向けて、働く者にとってはもっと劣悪でもっと過酷な形態で、こうした〝今日版の産業予備軍〟をつくりだそうとしている。それが、いわゆるギグワーカーなのである。

資本家どもが思い描く「ＤＸ推進」によって生みだされる社会とは、デジタルのキンキラキンの虚飾のもとでこのような古典的ともいうべき凄まじい貧富差が生みだされる社会であって、これこそは末期資本主義の腐朽のどんづまりにおける資本家と賃労働者との階級対立の剥きだしの表出にほかならない。だからこそ権力者どもは、貧窮化を強制される人民の怒りや反発がブルジョア政治権力の基盤を揺るがすことを怖れて、中国や台湾なみのデジタル監視網をつくりだすことに狂奔しているのである（これは「行政のデジタル化」の一モメントをなす）。

ロシアのウクライナ侵略と・それと連動した東アジアにおける台湾危機の切迫、アメリカの対中国デカップリング政策の強行と世界経済の再ブロック化による戦略物資・技術のサプライチェーンの分断と大再編。――これらに揺さぶられている日本の独占ブルジョアジーとその政府は、国家独占資本主義の生き残りを賭けて、右のような「ＤＸ＝デジタル革命」に突進しているのである。独占資本家どもは、ＡＩやロボットの導入をテコとして未曽有の大量首切りを強行するとともに、残った労働者たちにたいしては極限的な労働強化と新たな電脳的疎外を強制しようとしている。さらに労働者・人民を全生活場面でデジタル漬けにしてその批判的思考力を奪い、「デジタル化社会」の従順なロボットとして馴化し操作し、徹底的に収奪しようとしているのである。

マルクスは、『資本論』において、「資本制生産では、労働者が機械を使用するのではなく、逆に機械が労働者を使用する」と喝破した。現代の「デジタル化」された資本制生産では、人間がＡＩという機械に使われＡＩの奴隷にされつつあるのである。これこそはマルクスが明らかにした資本主義社会における賃労働者の疎外の極限的な形態にほかならない。

われわれは、「ＤＸ」というシンボルのもとに進められているこの日本の社会・産業・労働の独占ブルジョア的な大変革がもたらすところのものを、その労働者階級にとっての〝悪〟を、徹底的に暴きだすのでなければならない。

註1　ＶＲ（仮想現実）やＡＲ（拡張現実）やメタバースなどに典型的であるように、いわゆるサイバー空間の仮想的〝拡張〟には、――使用されるコンピュータや通信システムの性能以外には――物理的な制約が存在しない。このゆえにこのサイバー仮想空間内における新サービスや新ビジネスの開拓と・それへの資本の投下は〝無限に富を生む〟かのような幻想を資本家に与えている。このようなサイバー空間内での新サービスの拡大は、国家独占資本主義における過剰資本処理の一形態である「浪費の生産」の極限的なかたちである、と言えよう。

註2　この共同調査レポートで「人工知能による代替可能性が高い職業」として挙げられているのは一〇〇種類あり、主なものは次の通り。――一般事務、行政事務、経理事務、その他の定型的な事務、データ入力、銀行窓口、電車や路線バスやタクシーなどの運転手、駅務、スーパー店員、レジ係、ホテル客室係、警備員、ビル施設の管理や清掃、給食調理、ルートセールス、倉庫作業、金属加工など。他方、「代替可能性が低い」ものとしては、芸術、学問研究、医療、介護、教育、スポーツなどにかかわる職業が挙げられている。

註3　ＡＩ（コンピュータ）がどこまで高性能化したとしても、しょせんは統計とパターン認識と確率計算にもとづいて「最適値」を算出する機械であることに変わりはない。この機械はそれじたいで「真・善・美」の価値判断や人間主体にとっての「当為」を提示したりはしない。このような判断は人間にしかなしえない。このことをわきまえずに「思考するＡＩ」とか「自律型のＡＩ」なるものを〝創造〟しようとするのは狂気の沙汰と言わねばならない。

註4　コロナ・パンデミックのなかで首を切られた労働者や倒産に追いこまれた零細事業者が、生きていくために、スマホをもってさえいれば働けるウーバーイーツの配達員のような仕事に殺到した。彼らは、ウーバーに雇用されているのではなく、「個人請負」の形式をとって仕事をウーバーからもらえたときだけ料理を配達する、という契約になっている。ウーバー経営者は、自分たちは配達代行サービスを依頼してくるレストランと・個人事業者としての労働者とのあいだの仲介・斡旋をしているだけだから、労働時間規制も最低賃金補償も社会保険料負担も関知しない、と強弁している。こうした〝資本家やり放題〟の悪らつきわまりない働かせ方が、「個人請負」労働である。

（二〇二二年十一月執筆、二三年四月加筆）

「生成ＡＩ」狂騒劇

労働者・人民への一切の犠牲強制を許すな

利用拡大と規制をめぐる国際的な利害対立

こんにち世界中の資本家や企業経営者どもが、文章や画像、動画、音楽、音声、コンピュータ・プログラムなどを〝みずから生成する〟と称されている「生成ＡＩ」（生成的人工知能）に色めきたっている。アメリカのＩＴ企業「オープンＡＩ」が、日常言語による生成ＡＩの利用を容易にした「チャットＧＰＴ」を開発したことによって、これまで文章や動画などの作成に要してきた「人件費コスト」が大幅に軽減できるのではないかと、資本家や企業経営者どもは皮算用しているのである。彼らを抱える各国の権力者どもは、自国の利害を貫徹するために、生成ＡＩの開発促進・利用拡大や規制をめぐって、互いに火花を散らしているのだ。

生成ＡＩとは、インターネット上に流されている膨大な文章や画像・動画などのデジタルデータを〝素材〟にして、それを特定の演算方法（「アルゴリズム」）にもとづいて処理し、文章や画像などを〝それらしく造る〟コンピュータ・ソフトウエア群である。これが実用化されたのは、大量のデータを高速処理するコンピュータそのものの能力が飛躍的に向上したことにもとづく。

すでにアメリカや欧州、日本、中国などでは、これを利用して作成された動画や画像が、フェイク動画・画像をも含めて、大量にネット上に流されている。昨二〇二二年三月には、ウクライナ大統領ゼレンスキーが国民にロシア軍への抵抗をやめるように呼びかけたフェイク動画がロシア・プーチン政権によって流布された。こうした政治的効果を狙ったフェイク動画・画像が、米─中・露の激突のもとで、そしてアメリカの民主党・共和党両党の対立激化のもとで、それぞれの陣営による「情報戦」の一環として流布されているのである。

また米・欧では、生成AIの〝素材データ〟として利用された絵画や著作の制作者たちが、著作権侵害を訴えて開発企業や利用者にたいして大量の損害賠償訴訟を起こしているという。

こうした弊害を重視し、総じて規制強化を急いでいるのが欧州諸国の政府だ。「個人情報」をAIの〝素材〟に利用する法的根拠がないことを理由にイタリア政府は、いったんは生成AIを使用禁止にしたほどだ。アメリカ巨大IT企業によって欧州の伝統的・芸術的作品がコピーされたり「個人のプライバシー」が侵害されたりすることを非難するEU諸国の政府は、生成AIを「高リスク」なものと規定した「欧州AI規制法」を年内にもEU独自で制定しようとしている。このように生成AIに厳しい規制を加えようとしているのが欧州諸国の政府だ。

これにたいして生成AIを開発・販売しているIT企業を抱えているアメリカ政府は、〝適切に規制しつつ利用を拡大する〟と唱えている。IT企業の自主規制や既存の法律で充分に対処できるとバイデン政権は主張しているのだ。とはいえ米・欧は、強弱の差はあれ著作権者のAI開発者にたいする拒否権(オプトアウト)を認めているのだ。

この欧米とは逆に日本政府は、二〇一八年にAIによる画像・著作の利用についての著作権規制を緩める法改定をおこなった。これと軌を一にして岸田政権は、「ＤＸ・ＧＸ促進」の名で政府・地方自治体に生成ＡＩの利用を促している（補1）。生成ＡＩの利用拡大によって一九九〇年代いらいの〝ＩＴ敗戦〟を挽回しようと願望しているのが日本政府・支配階級だ。このことはＧ７広島サミットにおいて岸田が議長国の地位を利用して生成ＡＩの国際的規制作りのイニシアチブをとろうとあがいたことに示されている。〔もっとも、Ｇ７では利害が対立する各国は「国際的な論議を進める」ことしか合意しなかったのだが。〕

こうした帝国主義諸国による国際的ルールとは無関係に、まったく独自の生成ＡＩ規制を設けているのがネオ・スターリニスト中国の官僚政府だ（補2）。

AIによる文章・画像などの「自己生成」とは

そもそも生成ＡＩなるものが文章や画像を〝みずから生成する〟とはどういうことか。生成ＡＩの開発者は、ネット上の数千万単位の画像や文章などのデジタルデータを「訓練データ」として選び、それをあらかじめ〝記憶〟させておく。同時に、膨大なデータの処理・演算方法（確率論や統計学にもとづくそれ）を〝教えて〟おく。この〝事前訓練〟を施されたＡＩが、インターネット上に流されている膨大な画像・文章データのなかから確率的に選び出した文章や画像を組みあわせて新たな文章・画像を〝創作〟したり、特定の画像と特定の単語とを対応させたりする操作をおこなう。これが「機械学習」と称されているのである。

世界初の「機械学習」の成功例といわれているのが、グーグル社が開発したＡＩによる「猫」の〝自己抽出〟であった。「猫」という単語と約一〇〇〇万枚もの猫の画像とをあらかじめ結びつける「訓練」を施したＡＩが、未知の画像のなかから猫のそれを選びとり「猫」という単語を対応させた。これをもってＡＩが猫を「猫である」と判断した、と宣伝されたのだ。それは二〇一二年のことであった。このころから「機械学習」にもとづくＡＩの開発が一気に加速した。

これは一九五〇年代から二十世紀末にいたるＡＩ

開発の挫折と断絶のうえで進められた。二十世紀末までのＡＩ開発は、哲学者や認知科学者や技術者たちが、人間による概念・判断・推論作用をコンピュータにやらせようとした、それじたいが電脳疎外にもとづく追求であった。彼らは思いつくかぎり多種の推論式と、推論式と推論式との結びつきを電脳に覚えこませようとした。だがしょせんは与えたデータの枠内での〝推論〟のまねごとしかさせられなかった。〝コンピュータに考える力を与えよう〟などという追求は、ことごとく頓挫したのだ。

今日のＡＩ開発者たちはハナから〝コンピュータに考える力を与えよう〟などとは考えていない。膨大な単語を記憶させるのだが、単語の意味（言語体のシニフィエ）はなんら問題にしない。文章や画像などの膨大なデータを記録することによって・特定の単語や画像に後続する確率が高い単語を統計的に選択するだけなのだ。

したがって、いかなる単語・画像といかなる単語とを結びつけるのかは、一方ではＡＩが素材として取りこむネット上のデータにおける〝多数派〟がいかなるものであるのかによって、他方では、開発者が〝教えた〟統計学・確率論的な演算方法によって、決定される。二〇一五年にグーグル社が開発したＡＩは、黒人男性の顔画像に「ゴリラ」という単語を〝みずから〟対応させた。これは〝アメリカのネット世界が白人至上主義に汚染されていることの証左だ〟といわれた。ＡＩ作成者が利用する「訓練データ」の偏りやＡＩが素材を集めるネット世界そのものの「多数派」の価値意識・階級性によって、また開発者があらかじめ〝教えこむ〟演算・処理方法の価値意識によって、生成ＡＩは、初めから特定の階級性・イデオロギー性を刻印されているのである。

生成ＡＩには正否の判断はできない。できるのはネット世界において頻繁に出てくるものを選ぶだけなのだ。まさしく現存社会とりわけネット世界における多数派のイデオロギーすなわち支配階級や現存の権力者のそれに沿った文章や画像を、あたかも「正しい」ものであるかのように捏造するのが生成ＡＩである。

大量首切り、搾取・収奪の強化を許すな！

こうした生成ＡＩを、日本の資本家どもは、「人件費コスト」削減のために積極的に導入しようとしている。その動きが最も顕著なのが、映画・テレビ・ラジオなどの動画・音声表現の分野だ。すでにＮＨＫはニュース番組にＡＩによる人工音声を導入している。実際の俳優や舞踏家の演技を撮影・録音すれば、そのデータをもとにして生成ＡＩが実物にある程度は似た画像・音声を生成することができる。資本家や企業経営者どもが〝それで充分〟とみなしたならば、俳優や舞踏家たちは仕事を失う。そして一切の芸術的表現が、過去のそれのコピーに置き換えられてしまう。それゆえ俳優や表現者たちがつくる「日本芸能従事者協会」は、表現者としての矜持にかけて、抗議声明を発表したのである（五月八日）。

［アメリカでは全米脚本家組合が制作者の権利保護を求めてストライキを決行した。］

こうした特定分野だけではない。いまや独占資本家と政府・自治体当局者は、調査・統計資料の作成、翻訳、広告コンテンツの作成などのあらゆる業務過程に生成ＡＩを導入することによって「人件費コスト」を引き下げることができると目算を立てている。彼らに手厚い助成を与えるために岸田政権は、生成ＡＩの開発・導入に補助金を投入したり〝日の丸生成ＡＩ〟開発の旗振り役を演じようとしているのである。

こうして生成ＡＩの利用拡大に狂奔する政府・独占資本家階級によって、労働者階級・勤労人民は、大量首切り、搾取・収奪強化の攻撃に容赦なくさらされようとしている。さらにはブルジョア社会成員すべての電脳的疎外とグロテスクなかたちでの〝人間の滅び〟が、一挙に促進させられようとしているのである。生成ＡＩの利用拡大に突進する政府・独占資本家階級による、労働者・勤労人民にたいする一切の犠牲強制を断じて許すな！

竹下　徹

〔補1〕「チャットGPT活用」をがなりたてる岸田

岸田政権は、「チャットGPT」などの「生成AI」を日本の行政機関や企業に導入することに躍起になっている。

首相・岸田文雄は、四月に「チャットGPT」を開発した米オープンAI社のCEOと面談して日本に開発拠点を設けるとの約束をとりつけた。これを皮切りに、G7広島サミット議長国の立場を最大限に利用して、「生成AI」の活用指針をつくることを宣言した(四月三十日、「G7デジタル相会合共同声明」)――「個人情報」流出や「著作権侵害」の危険性があるとして「生成AI」の利用を一時禁止したイタリアなどEU諸国の顔色をうかがいながら――。「欧米・中国にたち遅れたDX(デジタル改革)を挽回する」と意気込む岸田は、五月に「AI戦略会議」(座長・東大教授で「人工知能学者」の松尾豊)を発足させて、「生成AI」の活用にむけ発破をかけているのだ。

これを受けて、「省力化」「効率化」「働き方改革」のためなどと称して、顧客対応、議事録の作成、事務連絡などの業務に「チャットGPT」の導入を進めているのが地方自治体の当局者どもだ。

兵庫県神戸市は議事録作成と要約などの文書作成業務を「チャットGPT」にまかせるための指針をいちはやく条例で策定した。東京都では都知事・小池百合子がみずから旗を振ってAI活用のプロジェクト・チームを立ちあげている。神奈川県横須賀市、埼玉県戸田市、群馬県藤岡市においても試験導入が開始され、千葉県、茨城県、栃木県の自治体では活用の検討に入るなど、続々と「チャットGPT」の導入につき進んでいる。自治体当局者は、自治体労働者の人員削減=大量解雇を狙って「効率化」「省力化」をおしだしながら「チャットGPT」の導入に狂奔しているのだ。

〔補2〕党=国家官僚の全面的統制下での生成AI開発を号令する習近平指導部

習近平政権は、生成AI(「対話型AI」)を規制する条例案を発表した(四月十一日)。

「生成型AIによって生成されるコンテンツは社会主義の中核的価値観を反映する必要がある」、「国家権力の転覆、社会主義制度の転覆、国を分割する扇動、国家の団結の弱体化……などを助長するコンテンツを含んではならない」（第四条）。「国家ネットワーク情報部門にアルゴリズム（計算方法）を届け出る必要がある」（第六条）。「ユーザーは身元情報を提供する必要がある」（第九条）、などというものだ。

習近平を頭とするネオ・スターリニスト官僚どもは、彼らが支配するニセ「社会主義制度」を肯定・讃美しないような生成ＡＩは許さないと宣言しているのである。生成ＡＩの開発と利用を党＝国家の監視・統制下におくために、開発各企業にたいしてアルゴリズムの提供、その利用者の身元の情報提供を義務化しようというわけだ。アルゴリズムの提供を踏み絵にして、欧米の大手ＩＴ企業の生成ＡＩを中国から締めだそうという魂胆でもある。

ＡＩ技術の開発をめぐって、アメリカのＩＴ企業と先頭争いをしているのが、中国の百度（バイドゥ）、アリババ、華為技術（ファーウェイ）などの巨大ＩＴ企業だ。習近平指導部は、これらを党の完全なコントロール下におきながら、各企業にたいして生成ＡＩ技術開発の尻をたたいている。それはこの技術が生産活動や軍事技術を一変させる可能性があり、さらに世論操作にも利用できるものと、習近平指導部がとらえているからだ。

今日とりわけ習近平政権が注目しているのが、生成ＡＩ技術の軍事技術にとっての重要性だ。生成ＡＩについて人民解放軍は機関紙『解放軍報』（四月十八日）に相次いで論文を発表した。「現代戦争で求められている迅速な意思決定をサポートするうえでＡＩサービスは必須条件となる」「作戦立案や部隊配置という分野で〔『対話型ＡＩ』の〕活用が見込まれる」などと。

おそらく彼らが最も注目しているのは、「敵国」の世論を操作する「認知戦」への活用にちがいない。フェイク動画の拡散などをも手段とした新たな次元での米中の核軍事力増強競争に反対しよう。

新型コロナ感染症「五類」への引き下げ

岸田政権の感染対策放棄・社会保障切り捨てを許すな

最上暁一

岸田政権は、新型コロナウイルス感染症(COVID-19)の感染症法上の位置付けを季節性インフルエンザと同じく「五類感染症」に引き下げた(二〇二三年五月八日から実施)。この「五類」への引き下げを契機に政府・厚生労働省は、高齢者への医療サービス切り捨てを鮮明にしつつ患者に応じた対応の指針をうちだした。施設や在宅で療養している高齢者が感染した場合には、高齢者施設内で「療養」する扱いにするか、急性期病床より看護師の体制が弱い「地域包括ケア病棟等」に入院させるか、などがそれである。こうした岸田政権による新たな「COVID-19対策」は、高齢者にCOVID-19による死をもたらすだけでなく、COVID-19の後遺症に苦しむ労働者・学生をさらに生みだすことになる。それは、コロナ禍と物価急騰に襲われ生活苦にあえぐ労働者・人民にさらなる病苦と貧窮をもたらすものにほかならない。しかもそれは、医療・介護労働者に感染の危険と医療・介護経営者によるさらなる労働強化をもたらすにちがいない。

I　死に追いやられる高齢者、後遺症に苦しむ労働者・学生

岸田政権は、すでに今年の一月二十七日の時点で、新型コロナウイルス感染症対策本部(以下「政府対策本部」)において、五月八日から新型コロナウイルス感染症の感染症法上の位置付けをこれまでの「二類相当」から季節性インフルエンザと同じ「五類感染症」に引き下げることを決定していた。この決定にもとづいて「政府対策本部」は、それまで感染者にたいして保健所や都道府県が病床を確保し入院調整をおこなってきた「特別な対応」をとりやめ、今後は診療した医療機関が入院先の病床を探すという「通常の対応」に移すことを決定した(三月十日)。それを受けて、厚生労働省は都道府県当局にたいして、あらかじめ「コロナ患者用」として準備しておく「確保病床」を全面廃止する「移行計画」を早急に策定し、四月二十一日までに国に提出するよう通知した(三月十七日)。

しかし、医療・介護労働者にとって、COVID-19に感染した患者にたいして季節性インフルエンザ感染者に対応するのと同様に治療・看護することはできない。いまなお、病院や高齢者施設などではCOVID-19の集団感染(クラスター)が発生し、勤務が可能な職員が少なくなった状況のなかで、医療・介護労働者は労働強化を強いられている。介護労働者は、新型コロナウイルス(SARS-CoV-2)に感染しても感染力がなくなったとみなされた場合には直ちに職場復帰を求められ、みずから感染している場合でもCOVID-19患者の介護を強いられている。これまでの八波におよぶ感染拡大のなかで、高齢者施設の入所者は、どれほど重篤になったとしても病院への入院をほとんど認められなかったがゆえに、介護労働者は利用者にたいする「治ってほしい」という気持ちをおし殺しながら入所者を看取ることを強いられてきたのだ。

オミクロン株が流行した第七波・第八波の半年間

だけでも、COVID-19による死者は、高齢者を中心に四・二万人にのぼっている。〔ちなみにインフルエンザによる死者は、大流行した年でも年間一万人である。〕

また、COVID-19の後遺症のために日常生活さえままならず、仕事や学業を辞めざるをえない労働者・学生も数多く生みだされている。後遺症によって休職したり失職したりしたとしても、彼らには何の補償もないがゆえに、後遺症で苦しむ多くの労働者が貧窮を極めている。こうした事態は、SARS-CoV-2の感染力や毒性を完全にあなどってきた岸田政権のおざなりなコロナ対策によって生みだされたといわなければならない。

また、COVID-19の位置付けを「五類感染症」に引き下げることにともない、COVID-19の患者であっても医療費の支払い（自己負担）が生じるので受診を控えてしまったり、「かぜだ」と自己判断してしまったりして診断されないまま死亡する高齢者やCOVID-19の後遺症に苦しむ労働者・学生が、今後さらに大量に生みだされるにちがいない。

新型コロナウイルスの不思議な特性

SARS-CoV-2は、感染することによってウイルスの侵入や増殖を防ぐ中和抗体を産生するだけではない。SARS-CoV-2は、免疫異常をもたらす抗体も産生する。こうしたウイルスは、産生する抗体が強い神経親和性をもっているがゆえに、脳脊髄をはじめとした神経系に障害をもたらすことがわかってきた。しかも、コロナウイルスは、持続感染することが知られている。それゆえ、SARS-CoV-2は、ウイルスに感染した直後だけでなく、感染時期のしばらくあとで、慢性疲労症候群や自己免疫疾患（膠原病）、さらには認知機能障害（ブレイン・フォグ）を発症させる。このようなコロナ後遺症で苦しむ患者が多いことが、いま世界各地から報告されている。

われわれは、かねてより推断してきた――SARS-CoV-2は、ネオ・スターリニスト習近平政権のもとにある武漢市のウイルス研究所から漏出し、COVID-19の世界的パンデミックをもたらしたのではないか――と。そして、このウイルスの感染流行によっていまだに全世界の労働者・人民に貧窮と死がもたらされつづけている。「重症化率が低下した」とみなされているオミクロン株であっても、これほど死者や後遺症に苦しむ労働者・人民が多いことを目のあたりにすると、このウイルスの不可思議な性質に疑惑がわきあがるのである。SARS-CoV-2は従来のコロナウイルスと遺伝子が異なるのであるが、これはやはり遺伝子操作によってつくりだされたウイルスではないのだろうか、と。また、アメリカ帝国主義バイデン政権も、みずからがウイルスの遺伝子操作に手を染めているがゆえに、SARS-CoV-2が「漏出した」ということには触れても、遺伝子操作については口をつぐんでいるのではないか。

いまや、ウイルス研究に携わる研究者や専門家が、研究を進めるために遺伝子操作によって感染力や毒性の強いウイルスやミックス・ウイルスをつくっているということは自明のことである。それを当然熟知しているにもかかわらず、米・中両権力者が「ＳＡＲＳ」・「ＭＥＲＳ」・「新型インフルエンザ」や今回の「新型コロナウイルス」などが遺伝子操作によって生みだされた可能性があることにかんしては口をつぐむ、あるいは否定している。このこと自体、権力者どもがウイルスの遺伝子操作を細菌兵器開発としても位置づけおこなっていることの証左ではないだろうか。

Ⅱ 「入院の必要性は低い」と高齢者に「施設内療養」＝死を強要！

岸田政権は、五月八日以降「新型コロナ対応」を「通常の対応」に移すと称して、高齢のCOVID-19の患者を介護保険適用の高齢者施設等や「地域包括ケア病棟等」で診させようとしている。そのために、感染対策を大幅に緩和したのが、政府・厚労省なのだ。

第一に、これまで感染対策の実施が難しいがゆえにCOVID-19診療を手控えていた中小の病院や診療所にも診療を促すために、医療機関における感染対策を大幅に緩和したことである。これまで関連学会等のガイドラインにもとづいておこなってきた厳密な感染対策について「最大限安全性を重視した対応」であり非効率だと断じ、今後は「効率性も考慮した対応」が必要だという。ひとたび院内感染が起きた場合にはクラスターの発生に直結するため、これまで医療・介護労働者が細心の注意をもっておこなってきた感染対策を岸田政権は事実上否定したのだ。

具体的には以下である。

（1）診察時の個人防護具の着用については、「病状や病歴を聞くだけであれば、マスクとフェイスシールドだけでよい。手袋やガウンは不要」とした。しかも、医療スタッフと患者との距離については不問にした。

（2）外来診療におけるゾーニング（感染の危険度にもとづく区域分け）にかんしては、診察場所を確保しやすくするために、「〔通常の患者と感染が疑われる患者との〕動線をパーテーションで仕切るだけでよい。診察や処置に使用していない空き部屋等を診察室として活用してもよい」とした。

（3）病棟においては、入院患者を受け入れやすくするために、「病棟全体のゾーニングは不要」であり、病室単位で〝コロナ病室〟とすればよいことに変更し、「感染危険区域（レッドゾーン）は室内のみでよい」とした。

以上のように、感染対策の基準を緩和するならば、換気が十分できない場合にはエアロゾルが廊下などに浮遊しつづけ、感染の危険性を増大させることは目に見えている。しかも、COVID-19は、季節性インフルエンザとは異なり、症状が出る前からウイルスを排出しているので、感染したとしても患者も周囲の人もそれに気づかないままに感染が数珠つなぎに広がっていくことも多い。いまでもクラスターが発生し、その対応に難渋している医療労働者は、ますますクラスターの発生に直面させられるに違いない。

第二に、COVID-19を「五類感染症」に引き下げたことにともない、「応招義務」という〝医師の患者を診療する義務〟を強調していること。この〝軍隊の招集〟のような用語を〝例外を認めない義務である〟と振り回しているのが政府・厚労省なのだ。発熱等で診察を希望する患者にたいして、COVID-19やその疑いを理由に診療を断ることは「正当な事由」に該当せず「診療の拒否」に当たり「応招義務」を定めた医師法に抵触するというのだ。政府・厚労省は、医師法をタテにして、すべての医療機関にCOVID-19やその疑いのある患者を受け入れさせようというのである。

第三に、医療機関の規模の大小にかかわらず、それ相応の「施設基準」に応じてCOVID-19の患者を受け入れることとして、医療機関の規模や性格に応じて対象患者（重症度分類等）を定めたことである。

（1）高次医療を担う重点医療機関等の大規模病院については、人工呼吸器やＥＣＭＯ（体外式膜型人工肺）を用いて治療する重症の患者に限定すること。

（2）それ以外の急性期病院の入院対象者は、COVID-19が軽症や中等症に該当する患者で、しかも入院が必要と判断され、短期間のうちに回復が見込める若い人を中心とした患者にすること。

（3）高齢者が入院する場合には（多くの場合入院させないが）、看護職員の人員が最も少ない「地域包括ケア病棟」や「地域一般病棟」（いずれも看護職員の配置は、患者十三人にたいして看護職員一人でよいとされている）に入院させることとしている。基礎疾患を多く抱える高齢者は、その急性増悪や合併症の併発により重症化や生命の危機にさらされることが予測されるにもかかわらず、医療スタッフが充実した医療機関には入院させないということなのだ。

そもそも、政府・厚労省は、多くの後期高齢者や介護施設・福祉施設に入所中の患者が具合が悪くなると急性期一般病棟（看護配置基準は十対一以上）に入院してきている現状を「医療費の無駄づかい」と観念しているのだ。政府・厚労省は言っている――「〔急性期病床を〕誤嚥性肺炎と尿路感染症の〔高齢の〕患者が一九％も占めている」、これは「適切かつ効果的・効率的に医療資源が投入されていない」ことだ――と。高齢者の急性期一般病棟への入院を極力抑えようとしているのが、無慈悲で悪逆な政府・厚労省なのだ。

第四に、外来診療、在宅診療、入院診療のいかんを問わず、COVID-19の診療にたいする診療報酬（国民健康保険・健保組合などから医療機関に支払われる保険医療サービスの代金・およびその公定価格を指す）を大幅に減額したことである。政府・厚労省は、オミクロン株に変異することによって「重症化率は下がった」「〔医療従事者の〕業務は効率化し、軽減された」とみなし、その診療報酬を引き下げた。しかし、COVID-19が五類になったとしても、医師や看護職員をはじめとした医療労働者が患者一人ひとりにかける手間はまったく変わらないのだ。

第五に、高齢者施設に入所しているCOVID-19患者については、「入院の必要性は低い」とみなし、あくまでも「施設内療養」をおこなわせようとしていることである。政府・厚労省は、これまで新型コロナ病床を確保できないため一応は「やむをえない」措置とみなしてきた「施設内療養」を、むしろ今後積極的に位置づけなおして、介護事業所を含めて施設や病院の〝コロナ患者受け入れ〟の役割分担を決めた。

施設入所者の場合、これまでも全身状態が重篤で家族が入院治療を希望した人についても入院先を確保できず、治療を受けることを諦めざるをえない事態は次々に生みだされてきたが、今後もさらにそのような悲惨な事態が生みだされるのである。高齢者にたいしては人工呼吸器やECMOを使ってまで救命する必要はない、亡くなったとしても〝寿命だ〟とみなす、というのだ。政府・厚労省は、COVID-19患者が施設内で療養を続けることが困難になった場合でも、高齢者は急性期一般病棟には入院させずに、入院する場合には医療スタッフの配置の少ない「地域一般病棟」や「地域包括ケア病棟」に入院させよというのだ。

また、岸田政権による「新型コロナ対策」は、医療・介護労働者を感染の危険にさらし、医療・介護労働者にさらなる労働強化をもたらさずにはおかない。

いま軍拡・改憲に突き進んでいる岸田政権は、軍事費大増額を狙いその財源を確保するために、増税を狙うとともに社会保障への財政支出を削減しようとしている。この岸田日本型ネオ・ファシズム政権は、高齢者への医療サービスを徹底して削減しようとしているのであり、COVID-19になった高齢者は〝さっさと死んでもらう方が国のお荷物にならない〟などと見殺しにすることを画策しているのだ。

岸田政権によるCOVID-19患者の「施設内療養」の強要をはじめとした医療サービス切り捨てを許すな！　「五類」への引き下げにともなう感染対策放棄・社会保障切り捨てに、断固として反対しよう！

ＪＰ23春闘の超低額妥結の労組大会での承認を否決せよ！

郵政労働者委員会

すべての郵政労働者のみなさん！　ＪＰ労組本部は第十六回定期全国大会(六月十四〜十五日)において、郵政労働者に実質賃金の切り下げを強いる超低額回答の受け入れと夏期冬期休暇削減の春闘妥結の承認を強行しようとしている。断じて許してはならない！

郵政労働者は、経営陣による三万人を超す人員削減によって首切りと極限的な労働強化に叩きこまれている。物価高騰のなかで徹底したコスト削減による実質賃金の低下を強制され生活苦に追いこまれている。だがしかし、「事業の持続的発展」のために合理化・賃金削減の諸攻撃に全面協力しているのが本部だ。郵政のたたかう労働者は、「未来創造プラン」と称して経営陣にすがりつき事業に奉仕する運動へと組合運動をいっそう変質させる本部を弾劾し、全国大会においてたたかう方針の確立をかちとろう！

沖縄で開催される今大会において本部は、岸田政権が沖縄・南西諸島への自衛隊・ミサイル部隊の配備をすすめ、日本の軍事強国化・憲法改悪に突進していることに何ひとつ反対していない。われわれは、本部の闘争放棄を弾劾し、岸田政権の大軍拡と憲法改悪を阻止する闘いをつくりだそう！

〔追記〕

全国大会において、われわれ革命的・戦闘的労働者たちの職場からの奮闘によって、昨年を倍する三〇％近い一二八の反対票（賛成三二七票）をＪＰ労組本部に突きつけた。われわれの＜大幅一律賃上げ獲得＞、夏期冬期休暇の売り渡し弾劾の闘いに鼓舞された組合員たちの反対の声に押されて、支部・地本の代議員は本部案に「理解する」とか「本部案了」と発言しつつも、苦渋の判断、断腸の思い、などと次々と本部への批判を展開したのだ。とりわけ夏期冬期休暇を売り渡した本部への怒りの表出であり実質的には不承認を突きつけたと言える。

たたかう郵政労働者は、「概ね受け止めていただいている」と居直る本部を弾劾し、郵政労働運動の戦闘的強化のために奮闘しよう。

ＪＰ労組本部による夏期冬期休暇の売り渡しを許すな！

今二三春闘において郵政経営陣は、徹底した賃金抑制を貫いた。「正社員一人あたり四八〇〇円の賃金を引き上げる」などとあたかも大盤振る舞いしたかのように言いなし、これをＪＰ労組本部は嬉々として受け入れたのだ。

だが、三一〇〇円分の「賃金改善」のうち、大多数の地域基幹職労働者への配分はたった一〇〇〇円でしかない。一般職労働者は二一〇〇円分の賃金原資の「充当配分」で「一万円の賃金改善」がはかられるというが、夏期冬期休暇を売り渡した分（一七〇〇円）が含まれたものであり、一般職労働者も実質賃金は下げられているのだ。期間雇用労働者にいたっては、昨年に引き続いてベースアップはゼロであり、消費者物価上昇分の四・三％（政府統計）以上の実質賃金の切り下げが強いられるのだ。しかも

「特別一時金」と称する七万円はベースアップとはなんの関係もない今回限りの支給でしかない。だがこれを、あたかも物価高騰分に合わせて五%以上の賃上げを確保したかのように演出したのが郵政経営陣なのだ。

この経営陣の回答を本部は、「全号俸に一律のベアを配分できた」、「民営化以降最大のベアを獲得できた」などとあたかも「賃金改善」ができたかのように誇大宣伝して組合員を欺瞞しているのだ。物価高騰にとうていおよばない妥結内容のいったいどこが「賃金改善」だというのか。

そもそも本部は、「将来にわたってコスト負担となる賃金改善は経営上非常に厳しい」などと称して、みずから掲げた「ベア九〇〇〇円」「一時金四・五ヵ月」要求の獲得を投げ捨て、経営陣がさしだしたわずかばかりの「回答」にもろ手を挙げて飛びついたのだ。すべての組合員は、さらなる生活苦と貧困を強いる超低額妥結をした本部を断固弾劾しよう！

それだけではない。本部は、夏期冬期休暇削減に反対する全国の組合員の声を踏みにじって、経営陣による夏期冬期休暇の削減に合意したのだ。歴史的な裏切り妥結を許すな！　郵政経営陣は、全社員に夏期冬期各一日の休暇を付与する＝正社員の四日分（窓口・ゆうちょ・かんぽは三日分）を削減し・その見返りに「全社員に一七〇〇〇円の賃金引き上げ」をおこなうと提案した。極悪非道の経営陣は、この休暇削減により労働者の労働日を増やして働かせ、休暇の補充要員を削減し、「見返り分」以上に人件費を削減することをたくらんでいるのだ。

本部の全面協力によって合理化・効率化攻撃がやすやすと貫徹され、どこの郵政職場も労働強化は日

・人事給与制度の大改悪反対！
・「配達区画の調整」「窓口統合」による人員削減・配転・労働強化反対！
・事業に奉仕する組合運動への変質を策す「未来創造プラン」反対！
・岸田政権による日本の軍事強国化・憲法改悪阻止！

増しに高まっている。このようななかで夏期冬期休暇は、人員不足で年休などまったく取得できない郵政労働者にとって、確実に取得できる欠くことのできない貴重な休暇なのだ。にもかかわらず本部は、先の中央委員会で「全国大会で妥結に向けて承認を求める」としていた決定を反故にして、あっさりと妥結・合意をはかったのである。これまで労組としてかちとった休暇制度を売り渡すことは、経営陣の賃金抑制攻撃への加担であり組合員への大裏切りなのだ。妥結承認を絶対に許すな！

さらに人事給与制度について経営陣は、今後五年程度で抜本的見直しをはかることを本部に合意させたのだ。彼らは、「ジョブ型雇用」も見すえて、職種の統合や新規一括採用の見直し、定期昇給制度や退職金制度（減額だ）にも手をつけようとしているのだ。これにたいして本部は、「時代の変化に機敏に反応し、スピーディーに対応する」などと称して労使協議をすすめていくことで合意したのだ。本部労働貴族どもは、経営陣と事業の危機感を共有し、「事業の持続性の確保」のために郵政経営陣の徹底した人員削減や賃金抑制の攻撃に積極的に呼応しているのである。

すべての郵政労働者のみなさん！　夏期冬期休暇削減反対！　二三春闘妥結を否決するために職場から論議を巻き起こそう！

「配達区画見直し」「郵便窓口統合」による大幅人員削減・労働強化反対！

許しがたいことに経営陣は、「中期経営計画」（二〇二一年〜二〇二五年）でうちだした三万五〇〇〇人におよぶ人員削減のうちすでに「三万人を削減した」などと公言しているではないか。ふざけるな！郵便・集配職場では経営陣は、「土曜配達の休止・送達日数の見直し」によって夜間業務を縮減し、内務労働者の大幅人員削減を強行した。集配職場では本社・支社主導で「配達区画の見直し」をすすめ、配達区画の減区＝減員を強行し、全国におしひろげているのだ。

同時に経営陣は「新たな集配体制の構築」と称して、集配部とゆうパック部の統合を強行している。これまでの担務別や配達区別にそれぞれ配置していた要員を、「配達区の概念を取り払い」（配達区ごとに要員を配置することをやめる）、郵便物の波動性や出勤する各労働者の能力に応じてその日の配達方法と要員配置を決定することをめざしている。デジタル技術を活用して労務管理を一段と強化し、労働者を雑巾のようにしぼりあげ徹底的に生産性向上に駆りたてているのだ。労働者はマニュアル化されたデータどおり配達することを強制され、ギリギリの人員で息つく暇もなく配達に駆りたてられる。昼の休憩や休息時間もまともにとれず、連日極限的な労働強化に叩きこまれているのだ。

また経営陣は、郵便窓口部門において「新たな要員算出標準」にもとづき一万人にもおよぶ人員削減を強行している。さらに「郵便窓口」と郵便部の「ゆうゆう窓口」を統合し、人員削減・強制配転・労働強化の攻撃をふりおろしているのだ。

だがしかし本部は、これらの大幅人員削減攻撃を「要員削減を目的にしたものではない」と組合員を欺瞞し、「効果的な要員配置にも着手しなければ、事業の持続性を見いだせない」などと語り、計画のスムーズな実施のための労使協議に明け暮れている。絶対に許せないではないか。たたかう郵政労働者は、「事業再生」のための労使協議に埋没する本部を弾劾し、職場から人員削減・労働強化に反対する闘いをつくりだそう！

「未来創造プラン」を掲げ組合運動のさらなる変質に突進する本部弾劾！

本部は「未来創造プラン」において、「職場に主軸をおいた活動サイクル」とか「職場を大切にする経営を会社に意見提起」するなどとほざいている。これは会社の効率化施策に対応して、現場末端まで生産性向上のための労使協議を徹底するものにほかならない。実に許しがたいではないか。窓口部門の提言において本部は、「社員」の所属を部会単位として、地域事情や局所事情にふまえて、隔日営業や時短営業とし、生みだした時間で他局応援や営業、集荷や配達をおこなうなどの施策の数々を列挙している。そのために組合員にたいして、「働き方の幅を広げよ」、「職業スキルの向上」にまい進せよ、などと号令している。ふざけるな！　現場労働者にとっては、首切りと労働強化しかもたらさないではないか。

本部は、こうした「事業再生」のための「運動」を職場末端からつくりだすために、「運動の再生」と称して、組合組織そのものを「事業構造改革」に協力するものへと丸ごとつくりかえようともくろんでいる。

これまで本部が経営陣のうちだすあらゆる施策に全面協力し、郵政労働者は、首切り・強制配転・労働強化や諸手当・休暇制度の改悪などの過酷な犠牲を強いられてきた。それゆえに現場組合員から本部にたいする批判が続出し、組合脱退者が後を絶たない。だが本部は、みずからの責任を棚に上げ、職場課題の本部・地本への「会議等での意見発信が自己目的化」されているなどと支部・分会役員に責任を転嫁し居直っているのだ。

たたかう郵政労働者のみなさん！　本部は、経営陣と一体となり「事業の再生」を担い、「職業人としてのキャリア・パスにつながる」と称して、出世をエサに、役員の育成をおこなおうとしている。組合を出世の道具として考えるような輩が組合役員となって職場を闊歩する、そんな職場にわれわれ労働者がめざす〝未来〟はない。本部が掲げる「未来創造プラン」の内実は、現場労働者に塗炭の苦しみをもたらす反労働者的なものでしかないのだ。「労使運命共同体」思想に浸りきり、経営陣の「事業構造改革」に追従する本部労働貴族を弾劾し、「未来創造プラン」を木っ端みじんに打ち砕き組合組織の戦闘的強化をかちとろう！

岸田政権の大軍拡・大増税、憲法改悪を打ち砕け！

ロシアのウクライナ侵略を発火点として米―中・露の政治的・軍事的角逐が一挙に激化している。東アジアにおいても台湾と朝鮮半島を焦点として戦争勃発の危機が高まっている。この〈米中激突〉下で熱核戦争勃発の危機に突入しているただなかで、岸田政権は、バイデン政権の要請に応えて、対中国の先制攻撃の最前線拠点として辺野古新基地建設を強行するとともに沖縄・南西諸島に陸自ミサイル部隊を次々と配備し、「トマホーク」などの長距離ミサイルも導入しようとしている。日米共同での敵基地先制攻撃体制の構築、そのための大軍拡、憲法改悪に突きすすんでいるのが岸田政権にほかならない。

だがしかし本部は、こうした岸田政権による大軍拡になんら反対する運動に組合員を組織することなく、「沖縄から平和を考えよう」などと提起している。その運動の核心は、「連合」方針にのっとった「安保容認」を前提とした「在日米軍基地の整理・縮小」と「日米地位協定の抜本的な見直し」を政府に要求するシロモノでしかない。この本部の運動をのりこえ職場から米軍基地撤去、辺野古新基地建設阻止、大軍拡反対・憲法改悪阻止の声をあげよう！

すべての郵政労働者のみなさん！　プーチン政権によるウクライナ軍事侵攻から一年三ヵ月。ウクライナ軍・人民による反転攻勢の前に、プーチンのウクライナ侵略は総破産を遂げつつある。いまもプーチンの戦争に身を賭して戦うウクライナ人民と固く連帯し、プーチン政権によるウクライナ侵略に反対する闘いを断固としておしすすめよう！

わが革マル派・郵政労働者委員会とともにたたかおう！

（二〇二三年五月二十七日）

〔本誌掲載の関連論文〕

- 郵政春闘の超低額妥結を弾劾する　鳥海　涼（第三三五号）
- 郵政春闘　大幅一律賃上げをかちとれ　海藤史郎（同）
- 郵政　七年連続のベアゼロ妥結弾劾！　宇津高倉大（同）
- 郵政春闘の戦闘的爆発をかちとろう　駒形　全（第三二九号）
- 賃金・処遇切り下げを提案するJP労組本部　杉山田攻（第三二七号）

電機春闘　ジョブ型制度緻密化のための労使協議への解消

狩野　勝

I　電機連合労働貴族の超低額妥結弾劾！

電機大手企業経営者は二〇二三年三月十五日に各労組にたいして「開発・設計職基幹労働者の賃金水準改善額」として「七〇〇〇円」の回答をおこなった（ＮＥＣと東芝は内二〇〇〇円を〝福利厚生にかかわる費用〟として回答）。初任給は高卒一七万六〇〇〇円、大卒は二三万円に到達する額を回答（引き上げ要求五〇〇〇円にたいして回答は五〇〇〇円もしくはそれを越える額にばらついた）。一時金は日立六・一ヵ月＋特別加算三万円、三菱五・八ヵ月、富士電機六・〇ヵ月、ＯＫＩ四・一ヵ月を回答した（十一社中八社は「業績連動算定方式」をとっている）。

このような「水準改善額七〇〇〇円」の超低額回答を電機連合労働貴族は「高く評価できる」（委員長・神

保政史）などと美化し、各労組執行部はすぐさま受け入れ集約＝妥結を決定したのだ。この回答をもって電機労働貴族が「十二社そろっての満額回答は史上初めてだ」などと喧伝することはまったくもって許し難い。そもそも要求じたいが七〇〇〇円などというのは、まったく話にならない超低額ではないか。電機労働者が低賃金で呻吟し、かつ生活必需品価格が著しく高騰する（今後も値上げが目白押しだ！）なかで実質賃金のさらなる低下は明らかではないか。電機労働者を馬鹿にするのもいいかげんにしろ！

さらにＮＥＣや東芝はその内の二〇〇〇円分を「福利厚生」費（ポイントとして付与する形態をとる）としている。しかもそれは「キャリアアップのための研修費等に使うもの」として与えられるのだ。いまや「福利厚生」費とは労働者みずからが自己啓発し資本にとって有益な労働力としてその能力を高めるための費用として位置づけられているのだ。電機労働貴族どもはこのような「キャリアアップのための費用」を「賃金改善分」であるかのように言いなして受け入れたのだ。

そもそもこの「改善額七〇〇〇円」は「個別賃金水準」として定めた特定のポイント（「開発・設計職基幹労働者」）にたいする回答なのである。多くの電機企業では「仕事・役割・貢献度」にもとづく賃金支払い形態を導入しており、このポイント以外のほとんどの労働者は据え置きや数百円の〝改善〟にすぎない。上司による「評価」によってはマイナスもありえるのだ。マスコミで「相次ぐ満額回答」だとか「歴史的な高水準」だとかと喧騒しているその内実は実に欺瞞的なものであり、電機労働貴族はこのことを重々承知したうえで「高く評価」し妥結したのだ。まったく許すことはできない。

電機連合本部は回答指定日の二日前の三月十三日に「賃金は五〇〇〇円以上の水準改善を図る」「一時金は年間四ヵ月の確保を図る」という最終方針（回答引き出し基準＝闘争回避基準）を決定した。この時すでにＪＣＭ内や他の産別で「満額回答」や「妥結」の決定が表面化し組合員からは「当然満額七〇〇〇円！」の声が吹きあがっているのを電機連合本部・各単組指導部は承知していた。そのゆえに中闘組合執行部は会社側と「満額回答」で決着する腹合わせをしたうえで、回答指定日に向けて五〇〇〇円からの積み上げをはかる交渉をしているかのようなポーズをとりつつ「満額回答」での妥結を演じたのだ。このような労働貴族どもの対応は、超低額回答すらも、あたかも経営陣と交渉を重ねることによって勝ちとったものであるかのようにおしだすまったくの茶番でしかない。

Ⅱ　〝人材獲得・育成〟のための労使協議への解消

回答内容について電機連合委員長・神保は「電機産業労使が人への投資の重要性、必要性を確認したうえで、互いに論議を深めて導いた回答だ」などと誇らしげに語り、経営者は「成長と分配の好循環を特に意識した人への投資だ」(日立製作所常務・田中憲一)と呼応してみせた。労使そろって今春闘について――賃上げ交渉などそっちのけに――〝人材の育成やスキルアップの方法など、人事・賃金・雇用制度の改革を労使で協力して前進できたことこそが成果なのだ〟と喜びあったのである。

電機独占資本家は、新型コロナ・パンデミックとプーチンのウクライナ侵略とを契機としてつきつけられた日本経済の脱炭素化やデジタル化における立ち遅れに危機感をあらわにしている。この危機意識を共有する労働貴族どもは、まさに資本家の意を体して「電機産業の持続的発展」に協力することをおのれの使命としている。彼らは自企業の事業再編に必要とみなすスキルを身につけた労働者を確保・育成することができるように「人材マネジメント」や「キャリア形成」などの改革を労使共通の課題として受け入れ、その実現のために春闘のなかで労使協議に明け暮れたのである。

ジョブ型人事制度構築に全面協力する労働貴族

日立製作所経営者は今春闘をとおして「社内の人

財流動化促進」と称して配属先の「グループ公募制度」の対象者を拡大することや「社内副業制度」や「社外副業制度」を導入するための協議を労組とのあいだでおしすすめた。この「社内副業制度」では労働者は担当業務をこなしつつそれとはまったく異なる部門の業務も担い、そのために必要な技術・技能・知識の習得（いわゆる「リスキリング」）を強いられる。労働者は四六時中、次に自分が働く職場をみずから探しスキルアップすることを追求させられるのだ。

日立の労組指導部は、こうした社内での〝労働移動〟と称する配転攻撃を貫徹するための人事・雇用制度の構築への協力をもみずからの課題として引き受けたのである。日立以外でも富士通やパナソニック、NECなどのように、すでに「ジョブ型人事制度」を導入している企業では「労使交渉」においてこの制度の運用上の問題点や課題について協議し緻密化をはかった。「ジョブ型制度」が本格導入されていない企業においても遅れてはならないとばかりにこの制度の導入・運用について労使交渉の主要な議題として協議した。このように各単組指導部は自企業経営者の課題をわがものとして今春闘の労使協議に明け暮れたのである。

大手電機資本家どもは「産業・企業の持続的発展」を進めるための「人材の確保・育成」が必要不可欠であると考え、そのために「ジョブ型」の人事・雇用・賃金制度を自社に最適なかたちで導入することを策している。彼らは「GX（脱炭素革新）」や「DX（デジタル革新）」を掲げての事業再編を進めるために労働者を「人的資本」と位置づけ（まさにおのれが資本の人格化たるの実を示している言ではないか！）利用しつくす、そのテコとして「ジョブ型人事制度」の構築に躍起となっているのだ。「人への投資」を謳い文句に、労働者にむかって「付加価値を生みだす人材たれ」と言い放ち、スキルアップしつづけることを強要している。この資本家どもと同様に電機労働貴族どもも「人への投資」とか「リスキリング」とかと叫びつつ、資本家どもに「自己成長のための支援」を要求している。それは、こうした労務政策の実現に労組の側から手を貸すものであって、組合員である労働者に資本のために身を粉にして働くことを――つまり資本の価値増殖のための手段に徹することを――求める資本家どもを支えるもの以外のなにものでもない。

「ジョブ型人材マネジメント」などと称してジョブ型人事制度を運用する場合のキャッチフレーズが「適所適材」である。企業経営者が必要な職務（ジョブ）にたいしてそれを担う労働者をどう配置するかを決めるのである。いま電機諸企業ではデジタル関連事業を軸として事業再編がおしすすめられ、不断に事業構造の再編にともなう労働組織の再編がおこなわれるなか、GXやDXを進める部門への労働者の配置をすすめている。労働者はその配属先を――「キャリアアップ」とか「リスキリング」とかと称する学び直しを強制されながら――みずから探して決めさせられるのである。事業再編でポストを失った労働者はまったく未経験の職務の学び直しを迫られ、新たなスキルを身につけられないとみなされた多くの労働者は退職に追いこまれるのだ。労働貴族どもはこの「学び直し」のふるいにかけられ切り捨てられる組合員たちを個人の努力が足りないとして平然と見殺しにしている。岸田政権と独占資本家どもが企む「労働市場改革」と称する解雇・賃下げ促進攻撃に加担し労働者に犠牲を強いる労働貴族を許すな！

「電機統一闘争」の最後的破綻

四月二十七日に富士通経営陣は突然「報酬の見直し」を大々的に発表した。「月額賃金を平均一〇%、最大二九% 引き上げ」、「賞与を含む年収ベースでは平均七%、最大二四% 引き上げ」という内容を春闘妥結後に待ってましたとばかりに発表したのである。この発表で「グローバルでの企業競争力の向上を目指し」「多様で多才な人材の獲得と定着」を実現するなどと言っているように「IT人材」の国際的な獲得合戦に勝ちぬく一つの手段としてうちだしたものである（月額賃金のアップ率よりも年収ベースでのアップ率が小さいというのは一時金支給額を下げることで総額人件費を抑えつつ月額賃金を高くするという詐術を駆使しているといえる）。つまり一時金を月額賃金に振りむけ、月額賃金水準の〝高さ〟を宣伝することで社会的に〝賃金の高い企業〟として富士通を売りこむことを狙っているのだ。富士通社長・時田隆仁は昨年末すでに「労働組合の産業別組織での議論は尊重するが、当社は当社なりの考え方でやってきている。それを変えるつもりはない」などと断言し、もはや産別統一要求など意に介さない意志を傲然と示していた。この経営者の施策に全面協力する組合指導部は、経営者とのあいだで春闘交渉と同時並行で「報酬の見直し」協議をおしすすめながら、電機連合の統一要求には「七〇〇〇円」の回答＝妥結で揃えるという演出をおこなったのである。このように、大手企業の労働貴族どもが自社に「ジョブ型人事制度」をどしどし導入することをみとめてきたことのゆえに、すでに形骸化していた春闘における電機連合の「個別賃金統一要求方式」が現実的にも破綻していることを露呈させたのである。

電機連合としてかろうじて共通な「統一要求」として掲げている一つが「産業別最低賃金（十八歳見合い）」要求であるが、このとりくみについても今春闘において破産があらわになりつつある。最低賃金の要求にかんして電機経営者は要求どおり一七万三五〇〇円に達する額かそれ以上の額を回答した。しかし、電機連合が「年齢別最低賃金」として二十五歳と四十歳について要求していることにたいして、日立や富士通などの「ジョブ型」制度の導入を進めている企業経営者どもは「最賃にかんする交渉はジョブ型処遇制度にそぐわない」などとほざき蹴飛ばした。富士通の経営者は〝年齢別に最低賃金を協議することは意味がない〟と主張し、高卒初任給だけ決めればいいとしているのだ。このように、新卒者や大幅に増やしているキャリア採用者など、新たに雇用する労働者の賃金は「ジョブ型」雇用の観点から〝高度人材〟には相対的に高い賃金を支払うなど、職務にもとづいて各人の賃金を決定するのであり、いまや経営者にとって生活を保障する観点からの「最低賃金」などまったく埒外なのだ。

今春闘で中闘組合の多くは経営者による種々の手当廃止の提案を受け入れた。労働貴族どもが「例年にない『高額』な回答」としてアピールしている「七〇〇〇円の賃上げ」なるものの裏で取引しているのが、「出張手当」や「家族手当」、「住宅手当」などの諸手当の廃止である。「福利厚生費」や各種「手当」を廃止することと引き換えに月額賃金を「アップ」することを労働貴族どもが認めたがゆえに、電機大手企業の多くがこれら諸手当の廃止にのりだしているのだ。実質的な賃下げである手当廃止を許してはならない。

Ⅲ　＜大幅一律賃上げ＞めざして　さらに奮闘しよう！

まさに電機連合加盟の大企業各単組の労働貴族が今春闘において力を注いだのは、労使交渉のなかで「人への投資」を合言葉に人事・賃金・雇用制度の改変をつうじて組合員を「人的資本」として資本家にさしだし、みずからの能力を高めていくことを組合員に強要することである。組合指導部が経営者の「適所適材」という考え方をみずからのものとし、「主体的に」スキルを身につけることがみずからの職場を確保することなのだと組合員である労働者の意識を「変容」するように先導したのだ。許せないではないか！

今春闘において彼らはコロナ・パンデミックを理由に職場集会などをオンライン化することによって対面での組合諸活動を放棄しこれを常態化してきた。われわれはこの組合員どうしが連帯してたたかうことを抑圧する賃上げ闘争の歪曲を許さず、職場組合員との対話をつくりだし、労組指導部に集会実現を迫り実現してきた。

〝賃金はみずからのスキルを身につけ成果をあげることで得るものだ〟などと称して労働者を孤立化させ分断を強いることに手を貸す電機労働貴族どもを弾劾しよう。中小・下請け職場で粘り強く春闘をたたかっている仲間たち！　労働貴族による春闘破壊を許さず、職場深部から労働者的団結を勝ちとり、＜大幅一律賃上げ＞めざして最後まで春闘をたたかいぬこう！

ＵＡゼンセン指導部による超低額妥結弾劾！

紺野はるか

二〇二三年四月五日、ＵＡゼンセン本部は「二三労働条件闘争三月末の妥結状況」を以下のように発表した。①四月三日十時時点で一一三万人強（約六割）の組合員の賃上げが決まった。②四一五組合の正社員組合員の妥結額（制度昇級＝定昇、ベア等込）は一万二三五〇円（四・一六％）、このうち賃金引き上げ分は七七三一円（二・五四％）。③一一七組合の短時間（パートタイム）組合員の妥結額（制度昇級、ベア等込）は時給五九・二円（五・六八％）。④契約社員の五十一組合の妥結額（制度昇級＝定昇、ベア等込）は九一六四円（四・一〇％）。〔以上の妥結額・率はすべて加重平均〕

ＵＡゼンセン会長・松浦昭彦は、この回答を「ＵＡゼンセン結成後、最大の賃上げ」だと胸を張り、「ＵＡゼンセン全体では物価上昇に見合う賃上げができている」とか「八年連続で短時間（パートタイム）組合員が正社員組合員の賃金引き上げを上回り、雇用形態間での格差是正の流れが加速している」とか「中規模・小規模の加盟組合でも〝最大限の賃上げ〟が続く」とかと得意満面で記者会見をおこなった。だがこのような「賃上げ額・率」での妥結は、狂乱的な物価高騰が続いているなかでは、実質賃金のいっそうの低下をまねくものでしかない。現に困窮に苦しんでいる組合員は視野の外ではないか。

ＵＡゼンセンの今二〇二三春闘においては、大手労組（二十三組合）の労働貴族が、あらかじめ物価上昇にも追いつかない超低率の賃上げ要求に自制した。彼らは、独占資本家どもがこの自制要求に応えてだした「満額」や「高額」の超低額回答に飛びついて第一回集中回答日（三月十五日）を待たずに妥結し、ＵＡゼンセンの二三春闘を実質上収束させたのだ。悔しいことに置き去りにされたＵＡゼンセン傘下の中小企業労組の労働者たちは、いま困難な闘いを強いられているのだ。

「物価上昇に見合う賃上げ」と得意顔で居直る本部

狂乱物価が続くなかで、ＵＡゼンセンの超低額妥結は困窮している労働者の現実を無視したまったく許しがたいものではないか。四月以降も電気・ガス料金や食品の値上げは続く。四月は食品値上げが前年同月比四倍の五一〇六品目におよび、五月以降も昨年を上回る勢いで値上げが予定されている。電気料金もひきつづいてさらに大幅な値上げが強行されようとしている。労働者にとっては実質賃金の低下が続き、食費を削り光熱費を削っても、いっそうの生活苦にあえぐことになるのである。「物価上昇に見合う賃上げ回答」などとＵＡゼンセン労働貴族は言うが、そもそもベースアップ分が二・五四％では、政府発表の物価上昇率四・一％にも満たないではないか。これで生活を守れるとでもいうのか。

そもそも中小企業の労働組合が多く非正規雇用労働者が六割も占めているＵＡゼンセンでは、他産別の労働者よりも賃金が低く抑えられている。しかも、多くの企業が「仕事・役割・貢献度」を基準とする賃金支払い形態を導入しているがゆえに、「有額回答」があったとしてもすべての労働者の賃金が上がるわけではない。昇格・昇級や査定のふるいにかけられて、実際には多くの労働者の賃上げはわずか数百円であったり、マイナスにさえされるのだ。

「賃上げで生産性向上の尻を叩く時代」とほざく会長・松浦

「パートの賃上げが改善された」などと、小売り大手イオンの非正規雇用労働者の「七％の賃上げ」を、画期的なものとして労使でおしだしている。しかしその内実は、次のようなものでしかない。新型コロナウイルス感染蔓延下で、外食や流通産業の資本家どもは店舗の閉鎖などによって有期契約労働者を大量に雇い止めにするだけでなく、正規雇用労働者の首をも切ってきた。しかしパンデミックからの回復期に入って「人手不足」が露わとなり、イオンの経営者は使い勝手のよい非正規雇用労働者の「人材確保」競争に狂奔せざるをえなくなったのだ。イオンの経営者はわずかばかりの「賃上げ」で「人手不足」を解消しようとしているのだ。

ＵＡゼンセン指導部は、このイオンを例に掲げて、「満額獲得・妥結第一号」などと大宣伝している。会長・松浦は、賃上げ回答が出ているのは「決して景気が良い業種ばかりではない」などと「利益が出ていない」企業の超低額でしかない賃上げ回答を最大限にもちあげ、「賃上げを生産性向上につなげることが大切」などとほざいている。松浦は言う、「賃上げをできない会社は生き残れない。組合員も今までと同じ仕事で賃金を上げてもらえるとは思っていない。その意味では、生産性向上の分配を賃上げで還元するというより、賃金を上げることによって生産性向上の尻を叩く、そういう時代に入ったのだとみている」と。要するに、わずかな賃上げで労働者に生産性向上のために必死に働け、などと松浦は経営者とともにがなりたてているのだ。これが労働組合の指導部の言うことなのか。超長時間労働を強制され極限まで労働が強化されて心身ともに疲れ果てている労働者に向かって、死ねと言うに等しいではないか。

「同一労働同一賃金」の法制化をテコに労務管理を強化する経営陣

イオンの経営者は労組指導部にたいして「賃金の話し合いは早めに終えて、生産性をどう高めていくかに時間を割きたい」と言いつつ、イオングループのパート時給を平均七％引き上げた。一〇〇円足らずの時給引き上げを嬉々として受けいれたイオン労組本部労働貴族は、集中回答日をまえに早ばやと妥結したのだ。まさに春闘交渉の場を生産性向上のために労使が一体となって話し合う場へと変質させたのだ。

イオングループの中核企業として従業員一二万人のうち七万三〇〇〇人の非正規雇用労働者を雇用するイオンリテールは、「正社員と同等の仕事をしているパート社員の待遇を正社員と均等にする制度の導入に踏み切った」、「日本企業に非正規社員の待遇改善を促す呼び水になる」（『朝日新聞』三月十五日）などとマスコミでも喧伝されている。しかし、ここでいう「正社員」とは「限定正社員」のことであり、「待遇を均等にする」といっても、時給をわずかに上げ、いつでも首を切れる非正規雇用労働者として固定化したうえで、「マネージャー」や「リーダー」としての責任をおしつけ経営者の都合の良いようにこき使いつづける道を開いたということではないか。「同一労働同一賃金」の法制化をテコにし逆手にとって、労務管理をいっそう強化しようとしているのである。

中小諸労組の労働者は粘り強く闘おう！

ＵＡゼンセン傘下の中小企業の多くの労働組合（組合員七二万人）は、四月に入ってから〝交渉開始〟のところもあり、多くがいまだにゼロ回答または未回答なのだ。現場の労働者は怒っている。「物価高は続く。会社が儲かっているのも分かっている。コロナ下でも、いまも続く人員不足のまま、くたくたになるまで働いてきた。それなのに、なぜ未回答なのだ」と。「これほどニュースで『満額回答』が報道され、『ＵＡゼンセン』のことが報道されたことはない。けれども、三月の集中回答日が終わったら、ぴたりと動きが止まった。中小はこれからだというのに……」と。

政府・独占資本家が「賃上げの必要性」を喧伝するなかで、ＵＡゼンセンの二三春闘は超低額妥結で敗北させられようとしている。この根拠は、第一にＵＡゼンセン指導部が超低率・低額要求を掲げたことにある。本部労働貴族は、「賃金体系維持分（二％）に加えて賃上げ四％程度、合計六％程度」の賃上げを要求した。この四％の賃上げ要求には、「人への投資、人材不足対応、産業間・規模間格差を是正する一％」の要求を含むとして彼らは「連合」の三％よりも高いなどと自画自賛しているが、物価上昇にも満たないものなのだ。

「連合」メーデーに結集したＵＡゼンセン傘下の労組員（４月29日、代々木公園）

第二に、ＵＡゼンセン本部労働貴族が二三春闘を文字通り企業発展、生産性向上のための政労使協議の場としたことだ。政府・支配階級は集中回答日前からマスコミに大手企業の「満額回答」という言葉を乱舞させ、「賃上げの社会的機運を高め」て、早期に二三春闘を収束させた。ＵＡゼンセン指導部は、内需が拡大せず「経済がもたない」という経営者の危機感を共有し、そのために「賃上げを生産性向上の原動力にしていく」とほざいていた。彼らが「早め高めの春闘」を叫んでいたのもこのためなのだ。ＵＡゼンセン指導部は「産業を発展させる」ための労使協議に早ばやと没入してきたのだ。

他方で彼らは「産業発展」のために「円滑な価格転嫁や適正取引の推進」、「エネルギー価格高騰対策」、「賃上げ促進税制やキャリアアップ助成の拡充」などを政府に要請してきた。これらの政策実現のために、春闘のさなかにも組織内参議院議員(国民民主党二名、無所属一名)とともに政府への要請活動に春闘を歪曲してきた。四月に入ってからは、春闘そっちのけで統一地方選への支援に組合員を引きまわしているのだ。

ＵＡゼンセンの労働貴族は、賃上げを実現するために「円滑な価格転嫁が必要だ」と繊維業界の「商品価値の低下」(松浦)を例にあげている。企業が儲からない構造に経営者顔負けに危機意識を燃やして、以下のように言う。「賃上げをしようとしているのは、モノやサービスの価値を、きちんと価格にできるようにしようということだ」、「適正な価格で企業が商売できるようにするために賃上げが必要だということだ」と。なんと！　企業の利潤拡大のためにこそ賃上げが必要だというのだ。しかも、そのために「円滑な価格転嫁」による製品やサービスの値上げをはかれ、というのだ。これは、労働者の実質賃金のさらなる低下を要求するものではないか。労働者をばかにするのもいいかげんにしろ！

ＵＡゼンセン本部労働貴族は、口先では「中小に繫げていく」と言うが、中小諸労組の取り組みについては五月・六月以降とされているＤ、Ｅグループの「賃金闘争解決目標スケジュール」を示しているだけなのである(註)。彼らは中小諸労組の共闘体制を組むわけでもなく、賃上げをかちとる気などさらさらないのだ。

経営者にゼロ回答を突きつけられ中小企業で苦闘しているたたかう労働者のみなさん！　ＵＡゼンセン指導部による超低額妥結・闘争放棄を許さず、ともに粘り強くたたかおう！

註　ＵＡゼンセンの場合、傘下の諸労組がＡ～Ｅの五つのグループに分けられ、グループごとに「賃金闘争解決目標」と称するスケジュールが設定されている。「相場づくりを担う」とされる大手労組のＡグループは三月十五日、それ以外の中小労組は四つに分けられ、Ｂグループが三月二十二日、Ｃグループは三月三十一日、Ｄグループは五月三十一日、最後のＥグループはそれ以降とされている。

「EV化」で大再編されるトヨタのサプライチェーン

労働者の大量首切りを許すな

南野耕一

自動車産業において、「カーボンニュートラルを達成する」というかけ声のもとに、世界的に「EV革命」と呼ばれるガソリンエンジン系の車から電気(モーター)自動車(EV)への転換がはかられている。国際的にも日本国内においても、これまで自動車産業に参入していなかったテスラ(アメリカ)をはじめとして、巨大新興企業がEV生産に次々に参入しており、従来の自動車完成メーカー間の枠を越えて激しいEV生産・販売競争がくりひろげられている。

エンジン(内燃機関)車では、三万点の部品が必要とされ、その組立てにあたっては〝すりあわせ技術〟といわれる高度な技術が必要である。これにたいして、EVの場合は二万点ほどの部品をユニット方式で組立てることができる。したがってこれまで自動車製造に参入していなかった新興企業でも比較的容易にEV製造に参入することができるのだ。こうして莫大な資金力を有するIT企業やベンチャー企業なども交えて新たなかたちで自動車作りの競争がくりひろげられているのだ。

二〇二二年の世界ＥＶ販売台数ランキングでは、一位テスラ・シェア一七・五％（アメリカ）、二位ＢＹＤ・シェア一二％（中国）といわれ、従来の自動車メーカーとは異なる巨大企業が上位を占めている。日本系の企業で十位以内に入っているのは「日産・ルノー・三菱自動車グループ」が七位に入っているだけである。トヨタグループは販売量では二十八位であり、シェアは〇・三％にすぎない。エンジン系の車を含めた車販売総台数で世界第一位を占めたトヨタグループは、ＥＶ販売では世界的な流れから大きくたち遅れている。

トヨタは前社長・豊田章男が「敵は炭素であり、内燃機関ではない。カーボンニュートラルに向けて技術の選択肢を広げる」と宣言し、駆動源をエンジンから電気モーターに一気に転換することは避けて、いわゆる「全方位戦略」をとると表明した。トヨタ経営陣は、ヨーロッパではカーボンニュートラル車としては認定されず、販売を規制されるハイブリッド車（ＨＶ）――車の駆動源として電気モーターとエンジンの両方を組み合わせて小さい容量のバッテリーをも搭載している――を含めて、電気自動車（ＥＶ）、燃料電池車（ＦＣＶ）、プラグインハイブリッド車（ＰＨＶ）のすべてを開発・生産するという戦略をとるというのだ。新たに社長に就任した佐藤恒治の下の新経営陣も「ＥＶファースト」を掲げながらも、「全方位戦略」は変えないと表明している。

ＥＶの生産にあたっては新たにエンジン車とは異なるＥＶ用の部品を採用しなければならない。トヨタ経営陣が「全方位戦略」をとって従来のＨＶなどのエンジン系の車とともにＥＶも生産することになれば、これまで構築してきたエンジン系のサプライチェーンとともに新たにＥＶ用のサプライチェーンをも構築しなければならない。トヨタ経営陣は、このＥＶ用の部品をも基本的にはトヨタグループと呼ばれるトヨタ直系の大・中の部品企業グループに開発・製造・供給させようとしている。トヨタ本体を頂点とするトヨタグループを構成する大・中の部品企業がＥＶ用の新たなサプライチェーンを構成しつつある。

このトヨタグループを構成する大・中の部品企業

の経営者どもは、新たにＥＶ用の部品の生産に主力を注ぐにあたっては従来の経営体制を再編・強化するとともに、他方ではこれまで主力を注いできたエンジン車用の部品製造部門をきりはなして子会社にまかせたり、一次・二次の下請け企業にまかせたりしている。これにともなってこれまでエンジン車系の部品を作りつづけてきた二次・三次下請けの部品企業は受注先を変えられたり、受注量を減らされたりして不安定な経営へとおいやられている。多くの下請けの中小零細な部品企業は、元請け企業から選別・淘汰され廃業・倒産の危機にさらされるのだ。なによりも、そのもとで働く多くの労働者は、派遣労働者のみならず正社員といえども、いま解雇・首切りの嵐にさらされようとしている。

1　「全方位戦略」にもとづく特異なＥＶ用供給網の構築

世界的に、そして日本国内においてもＥＶ化の流れが急加速するなかで特異な動きをしているのがトヨタである。

ＥＶ化にあたってはエンジン車とは異なる部品が開発・生産されなければならない。単純化していえば、駆動系としての電気モーター、リチウムイオン電池、電圧を変換する制御系の装置であるパワーエレクトロニクス（ＤＣ―ＤＣコンバーターやインバーター）、ギアなどが新たに開発・生産されなければならない。

異業種からＥＶ作りに参入する巨大企業は、製品の中心となるような部分の開発・設計などは自社でおこなうが、それ以外の製造・販売などは外部に委託するような方式をとっている。ＥＶ用基幹部品をそれぞれ別の専門企業に発注し・これらすべてをシャシー（車台）に搭載して車を完成してしまうというような方式をとっている（ここで形成されるサプライチェーンが水平分業型と呼ばれる）。トヨタはこれとは異なりこれまで構築してきた厖大なサプライチェーンの最上層部を形成する「トヨタグループ」と呼ばれるトヨタ直系の大・中の部品企業がＥＶ用の主要部品を開発・生産し、新たなＥＶ用サプライチェーンを形成しようとしている。これらのトヨタグループの諸企業は、新たなＥＶ用部品の生産に主力を注ぐために、これまで主力を注いできたエンジン車用の部品の製造部門を他の企業に売却したり子会社をつくってそこにゆだねたりしている。その結果、トヨタにはＥＶ用の新たなサプライチェーンとが縮小されるとはいえ従来のサプライチェーンとが並存することになるのだ。

ＥＶ用部品の新たな開発・生産への転換

電池生産――トヨタ

ＥＶ化にあたっては、電池がＥＶの製造原価の三〜四割を占めるといわれ、トヨタ本体がこの生産に直接のりだしている。日本国内においてはトヨタ本体がパナソニックと合弁会社を設立し、その企業への出資比率を五一％にして主導権を握ろうとしている。アメリカにおいてはトヨタ本体が豊田通商と共同出資して電池工場を設立して電池を確保しようとしている。しかし、巨大なＥＶ市場をもつ中国においては中国系の企業が自前の電池工場を設立しており、トヨタが独自に自前の電池工場を設立して電池を確保しＥＶを生産する余地はない。トヨタが中国でＥＶを生産するにあたっては、電池は中国系の企業から調達する以外にない。ＥＶシフトがもっとも進んでいるヨーロッパにおいてはトヨタは電池調達の目途はたっておらず、したがってヨーロッパでＥＶを生産する目途はたっていない。

「イーアクスル」の生産への転換――アイシン

エンジンに代わりＥＶの「心臓部」になるのが電動車両の駆動を担うトラクションモーターシステム「ｅ－Ａｘｌｅ（イーアクスル）」である。モーター、インバーター、ギアを一体化した駆動システムであり、この心臓部の制御には半導体が欠かせない。この「イーアクスル」をトヨタ系の巨大部品企業であるアイシンが主導し、同じくトヨタ系の巨大部品企業であるデンソーと共同出資して「ブルーイーネクサス」社を設立して開発・製造にあたる。この企業にはトヨタ本体も出資しており、完成車メーカーと部品メーカーとの調整などを担っている。

主力を担うアイシンは、従来は世界一の自動変速機（AT）メーカーであり、これを企業の主力製品としてきた。しかし、EV化の進展にともなってATの需要は減ることを見こして「イーアクスル」の開発・製造に主軸を移した。新たな企業をたちあげるにあたってその経営体制を強化するためにアイシン精機と子会社のアイシン・エイ・ダブリュを経営統合して新会社アイシンを設立したのだ。

トヨタグループ企業のなかでもう一社「イーアクスル」の開発・製造にのりだしたのが愛知製鋼である。従来は鍛造品のエンジン部品を製造していたが、EV化の進展にともなって小型の「アクスル」の開発・製造にのりだしたのである。

半導体、電動化製品、ソフトウエア関連部品の拡充――デンソー

トヨタ系で最大であり、世界第二の自動車部品メーカーであるデンソーは、これまでカーエアコンをはじめとするセンサーやエンジンといった車にかかわるハードウエアの製造を主力事業としてきた。しかし、EV化の進展にともなって従来の「部品メーカー」といった枠を破ってソフトウエアの開発・製作の分野に力を注ごうとしている。そのために専用ソフト開発を専門とする高度労働者を集結して戦略子会社「ジェイクワッドダイナミクス」を設立した。

同時に、トヨタグループ内で自動車の自動運転システムの開発などに使用する半導体を安定的に調達することを狙って世界的半導体メーカーたる台湾積体電路製造（TSMC）とソニーグループが熊本につくった半導体工場にデンソーも出資すると発表した。また、トヨタと共同出資して半導体を研究・開発する会社を設立し、EVやHVに必要不可欠なインバーターに搭載する半導体やセンサーの生産にものりだした。（ソフトウエアの開発に主力を注ぐために、これまで主力を注いできた燃料ポンプ製造の部門は、トヨタ系の中堅部品メーカーである愛三工業に売却した。）

右に明らかなようにトヨタグループの部品大企業は、ＥＶの主力基幹部品を新たに開発・製造・供給できる体制を急ピッチでつくりあげようとしているのだ。

ＥＶの基幹部品ばかりではなく、エンジン車からモーター車への転換にともなって新たに必要となる部品のほとんどを、トヨタグループ内の大手部品メーカーと中堅部品メーカーがそれぞれ得意部門を担うかたちで開発・製造している。

これらトヨタグループと呼ばれるトヨタ直系の大・中の諸企業は、新たな分野へ進出するにあたって は相互に連係・支えあっている。トヨタ本体が二〇％以上の株を保有するばかりか相互に株を持ち合うとともに経営陣に役員を派遣しあい、経営を支えあっているのだ。このトヨタグループの諸企業にはトヨタ本体も出資しており、トヨタ本体を頂点とし、その下にトヨタグループの諸企業が連なる新たなＥＶ用のサプライチェーンが形成されつつあるのだ。

しかし、トヨタがＥＶ用のサプライチェーンをトヨタ直系のトヨタグループの企業を軸にして構築しようとするかぎり、ＥＶ化を先行するアメリカや中国の諸企業と競いつつ生き残りをはかっていくことは至難のわざである。アメリカや中国、さらにはドイツなどの、ＥＶ化にトヨタに先行してとりくんできた諸企業はＥＶ用の基幹部品の開発・調達においても多額の資金を投入し技術開発をおしすすめている。トヨタがこれら先行する諸企業に追いつき、ＥＶ生産に生き残っていくためには厖大な資金と新たな技術開発者を要する。トヨタ本体とその下でＥＶの新たなサプライチェーンを構築しようとするトヨタグループの諸企業は、その資金を獲得するためにこれまでエンジン車向けに構築してきたサプライチェーンの下にある下請け企業とそのもとで働く多くの労働者に犠牲を強要しようとしているのだ。

2　エンジン車用供給網の縮小――中小零細企業の廃業・倒産・解雇の嵐

ＥＶ用の主要部品の独自のサプライチェーンを形

成しつつある「トヨタグループ」の諸企業は、これまでそれぞれの企業の下に一〇〇〇社以上（デンソーとアイシンの場合）から数百社の下請け企業をそれぞれかかえてきた。それらの諸企業の多くはエンジンにかんする燃料系や排気系の部品を手がける中小・零細の企業である。これらの下請け企業は、親企業たるトヨタグループを形成する大企業がＥＶ用部品の生産にふみきればなお数年はエンジン車用の部品の受注は残るとはいえ、受注量は減ることになる。なかには受注そのものをたちきられる企業もでる。その結果、これまで構築されてきたエンジン車用のサプライチェーンは規模は小さくなり、傘下の企業数は少なくなる。サプライチェーンは全体として縮小するのだ。

　トヨタの経営陣はすでに二〇三〇年にはＥＶの世界販売を三五〇万台にするとうちあげている。これは、トヨタが年間に販売するエンジン車、ＨＶ、ＰＨＶ、ＦＣＶを合わせた総販売台数の二〇～二五％ほどと予測される。したがって、二〇三〇年頃になってもトヨタ系のエンジン車系のサプライチェーンは縮小されるとはいえ残されるのだ。とはいえ、ＥＶ化が進行するにつれてエンジン車用の部品の受注は減りつづけるのであり、企業は存廃の危機にさらされることになるのだ。いますでに特定のエンジン車用の部品を製造する二次以下の下請け企業のなかでこの先も同一の部品を製造・受注できるという展望を失った企業のなかには、負債が増えないうちに廃業するものもではじめている。ＥＶ用の部品を製造する部門へ転業しようとしても、そのためには新たな設備投資と技術の開発・資金が必要となるが、これまで元請けの大企業から毎年「原価低減」を強いられ採算がとれるぎりぎりの経営を続けてきたこれらの企業にはそうした余力はない。転業もできず廃業の途を選んだ経営者どもや倒産にいたった企業の経営者どもは、多くの労働者を街頭に放りだすのだ。とりわけ非正規の労働者たちは、何の保障もなしに一方的に「雇い止め」を通告され街頭に放りだされるのだ。すでにいま、「派遣切り」が多くの企業で断行されつつある。

　他方、これまでと同じエンジン車用部品を作りつづけることになった企業とそのもとで働く労働者たちは、これまで以上の厳しい条件のもとで働かされることになる。トヨタ本体とトヨタグループ内でＥＶ生産へとふみだした大企業の経営者どもは、新たな技術開発・生産のために巨額の資金を要する。彼らはこの資金を、これまで貯めこんできた多額の「内部留保金」とともにエンジン系車の生産・販売から得る多額の利益から捻出しようとしているのだ。より多額の利益を生みだすためにＨＶをはじめＥＶ以外のエンジン系車の下請け企業に徹底した「原価低減」を強要するのだ。トヨタの駆動源ごとの営業利益率は、バッテリーＥＶの営業利益率が五・〇％であるのにたいしてエンジン搭載車のそれは一二％といわれる。この営業利益率の相対的に高いエンジン搭載車を生産・販売し、そこから多額の利益を確保しようとしているのだ。このＨＶを中心とするエンジン搭載車をＥＶのいまだ普及していないアジアやアフリカ、中東などの新興諸国で売りまくろうとしている。

トヨタ経営陣は、世界的なＥＶ化が急進展するもとで大きくたち遅れてしまい、これをとりもどすために特異な「全方位戦略」なるものをとってすべての犠牲を傘下の中小・零細企業とそのもとにある多くの労働者に解雇をつきつけ、残された労働者には極限的な労働強化をせまり、生き残りをはかろうとしているのだ。

すでに四万数千社に上るといわれるトヨタの一次・二次の下請け企業数は、「自動車部品製造」というハードウエアの業種を中心にして最大の企業数をかかえていたトヨタの膝元の愛知県にかわって、ソフトウエア関連企業を集積する東京都が最大になった。内燃機関や金型などのハードウエアを製造してきた企業は、ソフトウエア関連企業へと転換する資金・開発する余力をもちあわせておらず、廃業・倒産にいたっているのだ。このもとで解雇される労働者は一〇万人以上になるといわれている。

トヨタグループの「サプライヤーピラミッド」の構造

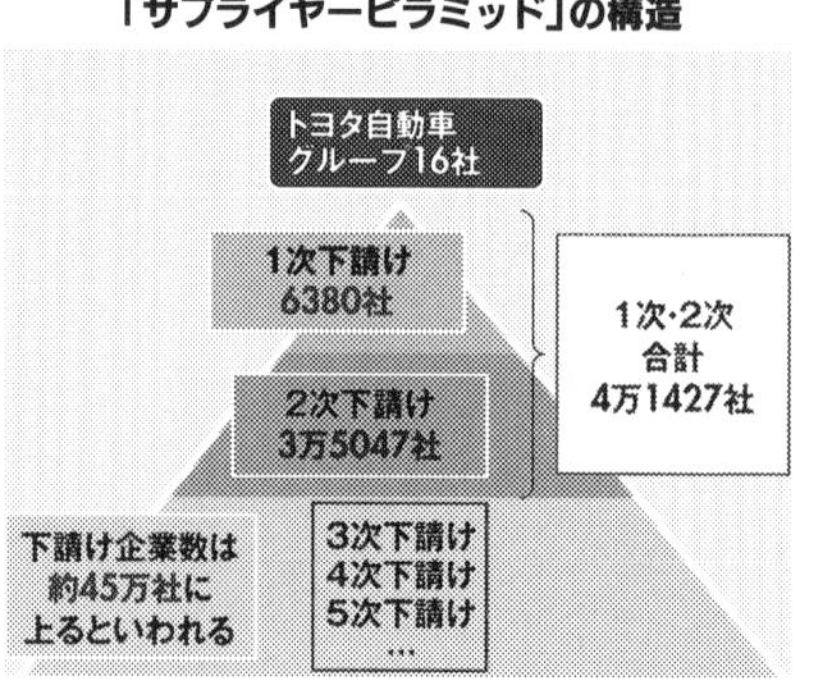

こうした未曽有の危機が到来することが確実であるにもかかわらず、反撃の闘いを呼びかけとりくむことなどまったく放棄しているばかりか、逆にトヨタ経営陣と一体化して「トヨタの生き残り」のために狂奔しているのがトヨタ労組の労働貴族どもだ。彼らトヨタ労働貴族どもを弾劾し、組合員・非組合員を問わず、正規労働者・非正規労働者であるとを問わず、すべての労働者はいまこそ渾身の力をふり絞って反撃の闘いにたちあがらなければならない。

〔補〕トヨタグループ企業について

トヨタグループのピラミッド型のサプライチェーンは上図のような構造をなしているが、そこで「トヨタグループ十六社」といわれるのは次の企業である。トヨタ自動車を頂点にして、デンソー、アイシン、豊田自動織機など大手部品企業八社に日野自動車とダイハツ工業の完成車企業の二社、東海理化電機製作所など中堅部品企業六社を加えたものから成る。

Let's fight against Russia's aggression in Ukraine! Q & A

For over a year, Zengakuren [All-Japan Federation of Students' Self-Governing Associations] has been strenuously promoting anti-war struggles against Putin-led Russia's aggression in Ukraine. Many students stood up in this struggle. While fighting, they have been studying, discussing and thinking.

Based on such discussions among Zengakuren students, we have summarized below what we expect new students to think over, in a Q & A format in which a member of the JRCL-RMF replies to the questions of a student. — ***Editors***

I. Why are the forces of Russia, a major military power, so weak?

Q It is a year and two months since the armed forces of Russia launched the invasion of Ukraine.

Since around December 2022, they have been destroying public infrastructure such as electricity, gas and water by raining missiles on the whole land of Ukraine. They have reduced to ashes apartment houses, hospitals, schools and all.

We were very much worried whether Ukrainian people would be able to survive the bitter cold of winter. What do you think is the reason why they have been able to withstand such adversity?

A They are very patient, I think, and what's more, they have a very strong spirit of giving mutual help to each other.

The more Vladimir Putin commits horrific atrocities, the more intensely Ukrainians have their hearts burning with anger, with their determination becoming stronger never to let this criminal be unpunished. According to one opinion poll, close to 90 percent of Ukrainians say they will fight until Ukraine finally wins.

Q As for the battle for Bakhmut, it was frequently reported that, due to Wagner troops' attacks, its fall was drawing near. The Russian forces have concentrated their strength to conquer this city for around eight months in a bid to make a symbol of what Putin calls the 'liberation of Donbas'. However, they have not only failed to achieve their goal but rather been suffering enormous casualties.

What do you think is the cause for the defeat of the Russian forces?

A First and foremost, this comes from the difference in the morale of troops.

Among Russian soldiers that are sent forth to Bakhmut, there are of course regular forces including airborne troops. But the main force consists of Wagner's soldiers, including prisoners who have been scraped together with words like 'Your barbarity is useful in the war'. Wagner is officially a private military company, but in fact is Putin's private army. And there are also new soldiers coercively mobilized last September — many of whom are from ethnic minorities including those of Sakha and Buryat in Siberia and of Dagestan in Caucasia.

They have no cause to fight in this war.

In contrast, the fighters of Ukraine — made up of the Ukrainian Armed Forces, frontier guards, the 'freedom battalion' and other military organizations formed voluntarily by motivated people, Territorial Defense Forces, and so on — are engaged in the battle with high spirits.

If they retreated from Bakhmut, it would bring the same situation as in Mariupol last year, where fighters were finally obliged to surrender after months of battles over the Azovstal Ironworks. Residents would be sent to filtration camps, be tortured, with women raped, some executed and others sent to Siberia and other underpopulated regions of Russia. Moreover, children would be parted from their parents, deported to Russia and forcibly adopted into Russian families. That is why Ukrainian fighters are combating unbendingly.

Furthermore, if they withdrew from Bakhmut, that would make it

hard to launch a counteroffensive in the coming spring... That's why they are fighting in defiance of death.

Q I'm really impressed by their mutual sympathy.

A So am I. And the problems of the Russian army are not limited to its low morale. As to tactics and commands, too, the Russian army is utterly irresponsible. Commanders are forcing soldiers to plunge into battlefields in waves as cannon fodders. If one attempts an escape, he'll be shot immediately from behind by a special unit. The survival rate of Russian soldiers is around 10 per cent. One of the worst cases was that there were only two survived out of a unit of 100. Casualties among Russian forces are reported to amount to 220,000.

Q This has something to do with Putin's order that the two oblasti in Donbas should be brought under control by the end of March, doesn't it?

A Yes, it does. To begin with, the Russian army operates thoroughly through a hierarchical top-down system. This is because the bureaucratism in the era of Stalinism prior to the collapse of the Soviet Union is still deeply ingrained today. For that reason, the high-ups wouldn't gather opinions from the front lines.

Moreover, Vladimir Putin, an erstwhile KGB agent, may be a professional in conspiracy and assassination, but he knows no military strategy, nor tactics, nor military techniques. This self-styled emperor intimidates his men by saying, 'I said "Carry it out", not "Try hard". This is my order.' This is certainly another big factor in the defeat of the Russian forces.

In contrast, Ukrainians have taken the opposite way. In the battle of Bakhmut, they must have been pressed into making a life-or-death judgment as to whether they should retain their military strength for counterattacks in spring or strike a heavy blow against the enemy on this site for the sake of the next victory, even if it would involve certain sacrifices in their ranks. But you see, it is not Kyiv but those commanders at the site of the battle who made the judgment. The Zelensky government is said to have followed the consensus of the commanders in the actual battlefield. It is reported that as many as 28,000 volunteer soldiers, including women and those from abroad, rushed to Bakhmut.

One more thing. Battles cannot be fought without logistics. One soldier needs a continuous supply of 200 kilograms a day, which includes water, food, arms and ammunition, and fuel. It must be noted

that these supplies were supported by many Ukrainian volunteers. This must also be a reason for the victory of Ukraine.

Thus, once again, Putin has suffered a defeat.

II. How should we face up to this world-historical event?

Q Incidentally, a few days ago, I saw a TV documentary aired by NHK titled 'Military invasion: the tense 72 hours in the Executive Office of the Ukrainian President'. Then, I read over again the JRCL statement 'No to Aggression in Ukraine!', issued on February 27th, 2022, three days after the launch of Russia's invasion of Ukraine. [See *The Communist* No. 318.]

A Oh, did you?

Q I was really amazed to find out that the statement had already described the same things that were disclosed in the NHK documentary a year after the invasion.

For instance, the statement says that Putin's designs lie in conquering the whole land of Ukraine, decapitating its current regime and setting up a puppet government, thereby annexing Ukraine or making it a vassal state. Another thing is that rulers of Western countries were unable to understand the meaning of Putin's remark that the 'disintegration of the Soviet Union, followed by NATO's eastward expansion' was the 'greatest geopolitical catastrophe of the twentieth century', and so they went pale when he actually launched an invasion. And further, the statement calls on workers and toiling people of Ukraine to put up resistance, and so on and on.

A That's right. Putin's aim was to assassinate President Zelensky, together with his family, and put forward a pro-Russian opposition party leader as president, thereby setting up a puppet government.

When faced with this, both US President Joe Biden and EU rulers urged Zelensky time and again to flee to seek refuge in a foreign country, but Zelensky turned this down. He said, 'We need no plane (for exile); we want arms.'

Ukrainian people stood up in response. On seeing that, Western rulers came around to giving military aids to Ukraine.

Some say it was Western rulers that instigated the Ukrainian

government to start the war. But this is mistaken as a matter of fact. Based on information collected from spy satellites, the Biden administration was well aware that Russia was aiming at Kyiv. And yet, as early as the end of 2021, Biden notified the Putin government that, if Russia invaded Ukraine, it would apply economic sanctions on Russia but would not resort to armed intervention. In this sense, it can even be said that Biden gave Putin the go-ahead for an invasion.

Anyway, if Ukrainian people had not risen in resistance, the situation would have been totally different.

Q Today, a year since Russia invaded Ukraine, some people say that both sides should lay down arms and cease fire immediately. What is your opinion of it? Also, there are those who say 'No' to supplying arms for Ukraine. What do you think about this?

A Calling for an immediate cease-fire at this moment in time is tantamount to approving Putin's annexation of the four oblasti. Such a proposition would only please Putin.

To those who clamour 'No to the sending of arms to Ukraine', I would say they should listen to a real outcry of the Ukrainians in resistance:

> 'The Ukrainian people want to fight but they don't have the necessary weapons to destroy Russian artillery and planes, so it is a matter of life and death that the Ukrainian people get the weapons they need.'
>
> 'This is why the most important method of supporting the Ukrainian resistance is by demanding the unconditional supply of heavy weapons to Ukraine. That is the only way they will be able to win the war.'

This passage is taken from an appeal issued by the Youth for Ukrainian Resistance, a group of young people and students who belong to militant leftists in Ukraine. To tell those Ukrainians to fight with only Molotov cocktails and antiquated guns in fierce, life-risking battles means to tell them to be killed!

It's quite clear for us from the beginning that imperialist rulers of the West have their own national interests. As we have mentioned many times since May 2022, Western rulers are not only fearful of the victory of Russia headed by Putin ambitious to retake the lost territories of the former USSR but also afraid of Ukraine's 'excessive' victory. This is because Putin, cornered in a dead end, could resort to a

nuclear attack.

However, the absolute criterion for our class-based judgment vis-à-vis *Putin's war* must be the defense and protection of the real interests of the oppressed working class.

Q That's exactly it. My senior colleagues, too, said to me, 'Proletarian humanism is realistic humanism.'

A Vladimir Putin, who poses as the 'tsar' of Russia, a major nuclear power, must have been convinced that it would be as easy as twisting a baby's arm to make Ukraine capitulate.

But that was a miscalculation that the arrogance of this devotee of military power made. For the past one year, everything he did went wrong. The most serious miscalculation was that Ukrainian people rose up in unity.

Q Why was it possible for the JRCL to predict so properly what is going on in Ukraine, though the information was very limited?

A Well, that's not really a prediction. To read a situation means to 'read other people's minds', so to speak. To put it plainly, when we say 'to analyse the present situation', it means to grasp the dynamics of political forces or substances with their respective class interests reacting to each other, i.e. dynamics of their behaviour or praxes conflicting with each other. Of course, in order to change the reality, we must first grasp the reality as it is.

To grasp the reality 'as it is' does not mean, of course, that we capture only its phenomena superficially. Unless we go into the minds of others as the objects of our analysis, we won't be able to grasp essentially the situation that has been produced.

Q I see... I think I understand. Come to think of it, when university authorities engineer attacks to infringe the autonomy of students' activities, we, Zengakuren try to get the point of the intentions of the authorities by presupposing the university authorities, the Education Ministry behind them, and the students.

A So you see, if you were looking out absentmindedly on the proceedings or merely interpreting its outcomes, you'd be caught up in the sliding tide. If you are to fight in earnest to change the present situation, you must first of all hold your ground with fighting spirit like *Nioh* [Buddhist guardian devas].

Q That statement of the JRCL was written 72 hours after the launch of Russia's aggression. It was calling on working people in Ukraine

to 'put up resistance in unity'. Today, it looks as if the prediction came true. Does this have something to do with what you said about the 'reading of other people's minds'?

A Yes, it does. To take an example, within three days after the launch of Russia's aggression, the Ukrainian government issued an instruction to its people that males aged 18 to 60 must stay in their home country, while at the same time, a Molotov cocktail production method was televised.

The approval rating for President Zelensky, a comedian by background, was not so high at that point, or rather, said to be floundering near the bottom. To add, there was no western country at that time that had expressed support for Ukraine. And yet, he was able to issue such an instruction. This is because the people of Ukraine would surely agree to this instruction. And then, the leaders of the Ukrainian government appeared in front of the Ukrainian people, wearing khaki combat uniforms.

That's about all, from which we derived our inference. We were able to conjecture the approximate content of what was aired on NHK.

Q That's amazing! You talked a little while ago about 'holding your ground like *Nioh*'. Could you explain that in more detail?

A For us to 'hold our ground like *Nioh*' means in this context that, with burning anger against the Russian invaders, we turn our thoughts to the innermost feelings of the Ukrainians who have suddenly been thrown into war, think very hard about what we ought to do here in Japan, and fight in praxis. As the anti-Stalinist revolutionary Left, what should we appeal to Ukrainian working people? What should we appeal to Russian working people? And what antiwar mass movement should we create?

If you fail to base yourself on this standpoint of praxis, you would never feel any surprise or indignation at the atrocious war; you could never have any passion nor fighting spirit that impels you to do whatever to change the situation. In the end, you'd only find yourself responding spiritlessly to the event.

Q There are many sensible people who are worrying about the cruelty of Putin's war. They are anxious about the anguished life of Ukrainians. They say, 'We hope this war will end as soon as possible', while they feel a bit of gratitude for their being able to lead a quiet, peaceful life. Well, I must say those sensible people are not really

leading a life as an active Subject in this historical reality.

Let me go back to the previous topic. When Putin's military aggression against Ukraine broke out, the JRCL did not perceive it as a mere territorial dispute but judged it as a momentous historical event. What makes it possible to have such an insight?

A Well, let me see. Remember, for instance, that Putin said, 'The disintegration of the Soviet Union, followed by NATO's eastward expansion, was the greatest geopolitical catastrophe of the twentieth century'. We should think it over intensively. Why did he say 'the disintegration of the Soviet Union ... was a catastrophe'? So-called USSR socialism had even become another name for 'oppression, repression and poverty'. This was the reason why the people of the erstwhile East European 'socialist' countries as well as many constituent republics of the former Soviet Union — touched off by Gorbachev's perestroika — longed for Western 'freedom and democracy', as if to say 'We've had enough of socialism', and fled like an avalanche to the West. And thus 'socialism' of the Soviet Union and Eastern Europe underwent dramatic implosion.

However, Putin does not sense the fact that 'socialism' became the object of fear and hatred to those people, though he used to be a KGB resident agent in East Germany. Probably, to his eyes, it only appeared as if people were deceived, by Western rock singers' voices coming from beyond the Berlin Wall, into breaking down the wall to flee.

Moreover, he uses the adjective 'geopolitical' to modify 'catastrophe'. What does this mean? Doesn't it mean that Putin possesses an ambition to recover the Russian territories lost when the USSR collapsed?

Next, we should look back on what Putin-led Russia has done in reality all this while. For instance, the annexation of Crimea...

Furthermore, we should recollect that, every time a revolt occurred in its satellite state, the Stalinist USSR sent tanks and troops, suppressed the uprisings and set up a puppet government — in Hungary, Czechoslovakia, Poland, Afghanistan...

It's like this. If we try to step into and make a conjecture about Putin's inner world from his 'words' and 'deeds', it will give us a fairly good grasp of the meaning of what's going on. The quality and depth of reasoning is more important than the quantity of information, I think.

Q Hmm... Ah, so this is what Kan'ichi Kuroda terms the 'analysis of actuality in the descending direction', isn't it?
A Right you are! It's not that easy to do it in reality, though. But since you, Zengakuren comrades, have a lot of friends, you can talk to each other and discuss livelily and frankly — like, for instance, 'Do you think so?' 'But I'm thinking a bit differently.' 'I rather think that...' etc. etc.
Q 'Two heads are better than one.' Ten heads might possibly come up to Comrade Kuroda's head... Ha ha ha!
A And remember, if we are to analyze a certain figure or substance — Vladimir Putin, for instance — the important thing is to presuppose Putin, the active Subject, and the real situation or topos in which he exists; otherwise, our analysis will end in an objectivistic interpretation, at times groundless assumption. And then we should put ourselves in his shoes in analysing him.
Q A senior comrade of mine once taught me the same thing. I told my friends about it, upon which one of them said, 'I can't put myself in the shoes of such a villain like Putin. I hate such a thing!'
A Aha, I can well understand how he feels. But, you see, whether in taking part in a sport or playing chess, you must first grasp what your opponent has in mind; otherwise, you won't win. 'If you know your enemy and yourself, you are sure to win' goes the proverb. So... I guess we can deliver a hard blow to that villain later on.

III. Putin's war and its meaning

Q We often hear the expression 'Putin's war'. It seems to be used with implications such as a 'brutal war', a 'war that Putin started at his personal discretion' and therefore 'will end if he decides'.

We, too, use the same expression, *Putin's war*. Will you tell me its meaning a bit precisely?
A Well, let's recollect at first what Vladimir Putin said on various occasions last year.

> 'No one could imagine the creation of an "anti-Russia" in Ukraine, historical Russian territory. We simply cannot allow this to happen.' (in April)
>
> 'The state of Ukraine, its sovereignty and territories can only be secured by Russia, which created today's Ukraine.' (in Octo-

ber)

'For decades, Ukrainian people have been brainwashed by neo-Nazis.' (in December)

All these were remarks that he made in the last twelve months. They eloquently speak of what he thinks — 'We only allow Ukraine to exist as a subject state of Russia; otherwise, the state of Ukraine and its nation shall be liquidated altogether.'

It's likely that Putin really believes in his own fabrication, an absurd story that this is a 'just war to relieve Ukrainians from brainwashing'.

Q Since when has he been harbouring such a crazy idea? Why does he bear such an inveterate, constant enmity against Ukraine?

A Well, let's go back into history a bit. Following the domino-like collapse of East-European 'socialist states' starting in 1989, the USSR itself disintegrated into fifteen republics in 1991. This dissolution was decided by the power holders of three states — Russia, Belarus and Ukraine — under the initiative of Yeltsin in their meeting at a villa in a Belarusian forest. In this meeting, they also decided that all the nuclear weapons of the former USSR should be under the control of Russia and that the Crimea should belong to Ukraine.

Q Although Russia itself decided the dissolution, Putin says today, thirty years after that, that the dissolution was wrong and that Ukraine is historically part of Russia. No one could be persuaded. Ukrainians would never accept it.

A No, they won't. Under the rule of the USSR during the era of Stalin, Ukraine particularly underwent great miseries, too many to mention, which included 'Holodomor'.

Q Putin has no idea how deeply the 'socialism of the Soviet Union' was abhorred or detested by the people of the Soviet Union and East European countries.

A He reiterates that the main culprit is the eastward expansion of NATO, which is followed by some scholars, commentators and self-styled leftists. But this is too selfish.

I say so because... Before its dismantlement, the USSR had its industrial structure divided by republic and region. For this reason, after its dismantlement, each of the republics, now independent, needed to form something like a federation to secure mutual economic relationships, while keeping its independence. That is why those rulers of the

former USSR managed to set up something with a chimera-like name, the Commonwealth of Independent States.

But, in this attempt, there was no negation of or reflection on the Stalinist system of the union of republics, i.e. bureaucratic centralism, which was established on the basis of the destruction of Lenin's principle, 'separation then federation'. So, it's quite natural that the CIS had to be seen as a 'revival of Great Russian chauvinism'. That is why it dispersed immediately after its formation.

Q What attitude did Ukraine take towards that?

A Ukraine then stood in the van of 'defiance' towards Moscow. In opposition to the Yeltsin-led Russian Federation, which emphasized the need to create 'united forces of the CIS', Ukraine insisted that it would establish its 'independent forces', that the Black Sea Fleet should come under control of Ukraine, and so on.

To the Kremlin rulers, therefore, Ukraine is a hateful entity which is a brother and yet growls at them.

After the collapse of the USSR, Ukraine sometimes got along with Russia and at other times approached Western Europe. In any event, the 'Maidan (square) revolution' of 2014, also called 'revolution of dignity', was a decisive turning point. Surrounded by people's anger, the pro-Russian government led by the then president Yanukovych broke down, with the president fleeing to Moscow. This man, a former Stalinist bureaucrat who rose from the ranks of government officials in Donbas, was corruption-ridden to such an extent that he had a zoo in his private residence. It is said that there's something called a museum of corruption in Kyiv.

To add, in Ukraine, there are a number of oligarchs working in collusion with Russia. Some of them control main TV networks. Partly for lack of a sufficient legal system, corruption is rampant with impunity. The Zelensky government is therefore still intent on exposing bribery.

Q I see... that's why the 'Maidan revolution' looks to Putin, an erstwhile spy, to be a conspiratorial incident that was caused by the people of Ukraine who were brainwashed and manipulated by Western spies.

I've heard that Putin was fascinated with Richard Sorge, dubbed the 'greatest spy of the twentieth century', and that he went into the KGB, believing that, if he became a spy, he would be able to manipu-

late the world.

A So it seems. It is reported that, for these past few years in Russia, under Putin's presidency, Sorge has been deified. A new subway station in Moscow was given the name of 'Sorge station'. The state-run TV station broadcasted a serial drama with Sorge as the hero. And so on and so forth.

Q After the Maidan revolution, Russia annexed Crimea.

A Exactly. After the collapse of the USSR, Russian rulers attempted to bring the seceded, independent republics back to the Russian sphere, or to keep ties with them, by resettling Russians in those countries with the aim of controlling non-Russians. The instances were the three Baltic states and Moldova, as well as Donbas and Crimea in Ukraine. And either by inciting a civil war or by cooking up a fake referendum, they tried to incorporate them in Russian territory.

Faced with Russia's forcible annexation of Crimea, Western governments took an ambiguous attitude and made a compromise. And when the Ukrainian government applied its accession to NATO in order to protect itself from the menace of Putin's Russia, Western governments, particularly Germany and France, bitterly opposed it.

Based on this experience of 'success', Putin now has resorted to a brutal act with the aim of controlling the whole land of Ukraine and subordinating or annexing it to Russia.

IV. The grave crime of Stalinism, which we must still confront

Q I'm becoming aware that the collapse of the USSR, a major historical incident that happened thirty years ago, is still not simply an event of the past. A senior member of Zengakuren said the same thing to me.

A That's the point. 'Stalinism of the Soviet Union' collapsed as a system and disappeared from the centre stage of history, certainly. But, like a zombie, it's still alive, doing harm to and tormenting working people.

Its gravest crime is the following.

The cruelties of 'USSR socialism', which were long veiled in the previous century, have become a matter of common knowledge. Now

that they have become common knowledge, many working people across the world have a fixed image and say, 'We've had enough of socialism'.

Shockwaves from the collapse of 'USSR Stalinism' caused a terrible retreat of class struggles and labour movements in the world. That's because the leaderships of class struggles lost their sense of direction and thus made an ideological conversion as a whole. This is also the reason why the bourgeois governments and the ruling class all over the world, which were freed from the West-East confrontation and were intoxicated with the 'victory of capitalism', started to relentlessly impose poverty and oppression on the working class.

Our organization of the anti-Stalinist communist movement kept fighting by holding up 'anti-imperialism, anti-Stalinism' ever higher. We fought, of course, arm in arm with you, comrades of Zengakuren.

Q I see that Stalinism is false Marxism-Leninism and that it went bankrupt of necessity. Will you discuss this point more closely?

A The capitalist system of wage slavery is the dead end of the class rule, which is concealed under the fig leaf of 'freedom and equality', so that the working class as the ruled class must unite beyond borders and carve out a future society, that is communism. — This is what Marx and Engels clarified. And it is Lenin and the Bolsheviks he led that realized this thought in the form of proletarian revolution in Russia and actually opened the door to a future society.

Notwithstanding this, after Lenin's death, Iosif Stalin, who forced his way to the top and became the supreme leader of the Party and the State, betrayed Marxism-Leninism and oppressed the struggles for the liberation of the world working class on the basis of his fake theory, i.e the theory of 'socialism in one country (socialist revolution and construction in a single country)', while at home he oppressed the toiling masses under an autocratic rule and perpetrated wanton expropriation against them. This is not all. In the Second World War, the Stalin-led Soviet Union allied with imperialist states that he dubbed 'democratic imperialism' to counter Nazi Germany, and thereafter fabricated the autocratic states of Stalinist bureaucracy, with the name of 'People's Democracies', in war-devastated East European countries by means of armed forces.

Thus, in the latter half of the twentieth century, the whole world was divided and ruled by imperialism and Stalinism.

Q On these points, we studied very hard last year. Then the Stalinist USSR got bogged down in the quagmire of a competitive arms expansion race, as in the case of the imperialist state of America, thus completely exhausting its domestic economy and driving the militarized economy of the USSR into peril.

A But, while the USSR verged on defeat in the confrontation with US imperialism, Mikhail Gorbachev, the last General Secretary of the Communist Party of the Soviet Union, started to wriggle out of the complete dead end of 'Stalin-type socialism', represented by an authoritarian rule based on bureaucratic centralism, the bureaucratic planned economy, hard-line foreign policies aimed to defend and construct socialism in one country, and so on.

Heaping abusive words, such as that socialism envisaged by Marx and Lenin was an infantile utopia, Gorbachev declared a departure from Marxism-Leninism. He thus attempted to reform 'Stalin-type socialism' in the direction of Western-type social-democracy by introducing the concepts of 'democracy' and 'market economy' separated from their class nature.

Q Now I've come to understand that, with the impetus of the Gorbachev-led 'prestroika' in all areas including politics, economy, international relations and the party itself, East European countries ran into the West at first, and then the Soviet Union itself fell apart.

A That's right. Then, following Gorbachev, Boris Yeltsin started restoring capitalist Russia.

They rejected bankrupt Stalinism, regarding it as an inevitable result of Leninism, and, by superimposing it upon Marx's concept of class dictatorship, abandoned Marxism itself. Gorbachev perpetrated the historic venture of *dismantling the Soviet Union*, while Yeltsin restored *capitalist Russia* in the end of the twentieth century. These two are the criminals of the century!

Q I've heard about the extreme miseries of the Russian economy after the collapse of the USSR...

A Terribly miserable, indeed. The dream of reviving Russia through capitalist restoration crumbled in an instant. What appeared in ruinous Russia instead was an appalling political and economic anarchy.

Those who had worked as Stalinist party bureaucrats up until yesterday started to conduct new business as capitalist entrepreneurs by buying state property cheap as dirt, or to filch part of state funds and

foreign aids for deals on the black market. Such parvenu, bureaucrat-turned capitalists and the commercial mafia were rampant. The mafia-led 'shadow economy' came to occupy 40 per cent of the national economy, while the rise of prices skyrocketed to 1,000 per cent and the number of the unemployed reached 30 million. Production spirally dropped with distribution plunging into chaos, where a barter economy came in.

Q Why was it that the 'introduction of a market economy' didn't go smoothly in Russia?

A Well... Speaking in historical terms, the general form prevalent in tsarist Russia was the serf economy based on communities called *mir*. In the era of Stalin, a bureaucratically planned economy was adopted. That is why the so-called commodity economy did not thrive in Russia. So, even though they forcibly tried to introduce a 'market economy' by considering it as if it were a magical staff, it could only give rise to something like merchant capital of 'buying cheap and selling dear'. It only resulted in the rampancy of a mafia economy, far from a market economy.

Capitalist production operates in an anarchic way, to begin with, based on the commoditization of labour-power, where this anarchy is 'regulated' in the form of the penetration of the law of value. Here lies the historical uniqueness of the commodity economy. And, today's capitalism takes the economic form of state monopoly capitalism, which was created to survive economic crises in the imperialist stage. With no knowledge about all these, those bureaucrats just simply, superficially imitated the liberal form of the capitalist economy in the nineteenth century in the name of the 'introduction of market mechanisms', in a bid to reform the bankrupt bureaucratic planned economy. This in itself was an idealistic daydream.

In fact, even today, Russia has yet to develop any industry, except for energy and resource-related industries and the munitions industries operated by military-industrial complexes.

True the Stalinist system has collapsed as a system, but as long as its remains exist, it's impossible that capitalist production develops to give rise to an economy in which the law of value functions and penetrates. Such an economy can only be called a 'quasi capitalist economy', which is a capitalist economy and yet not a capitalist economy. For a deeper understanding, see Kan'ichi Kuroda's *Topos and Praxis*,

Volume 1, Section 57 and elsewhere.

V. Let us change the world in a deepening crisis!

Q It seems to me that Putin has a sense of inferiority to Western Europe about Russia lagging behind in economic development while he has a sense of superiority about its advantage in nuclear military capabilities. Such ambivalence is rooted in those realities that you have just referred to, I surmise.

A I think so. This ruler, who is ignorant of economic matters, is said to have once wanted to join the European Union; however, now he probably thinks that Western capital does not flow in because of Westerners' 'harassments of Russia'. Therefore, if he suffers a miserable defeat in the aggression in Ukraine, it could drive him to touch the button of 'usable nuclear weapons'.

Q What are Russian working people thinking about their country after the collapse of the Soviet Union?

A That is the question. Because of the economic and political anarchy after the collapse of the Soviet Union, the Russian toiling masses, who had long experienced terrible sufferings under the autocratic rule of the Stalinist party, must have harboured a nihilistic sentiment all the more.

Russian people had kept a pride in being the people of the Soviet Union as a superpower while groaning under bureaucratic oppression; and amid the chaos, they felt their pride bitterly hurt. Because of this, their national emotions must have welled up inside. They must at the same time have their self-respect in having endured those sufferings of 1990s with the Russian spirit of perseverance.

Putin has been using such sentiments to agitate for the 'revival of great Russia'.

In 1999, Putin took over the presidency from Yeltsin in return for promising not to accuse Yeltsin of bribery. Early in the twenty-first century, when energy prices skyrocketed due to 'Bush's war' on Afghanistan and Iraq, Putin took advantage of this to start advertising himself, still an unknown then, as a Savior of ruinous Russia.

In the first place, he perpetrated conspiracies to frame up 'terrorist attacks' and thereby sank Chechen people in seas of blood; further, he assassinated and jailed disobedient oligarchs and opposition leaders,

and thereby expelled his opponents. After he won an overwhelming victory in the parliamentary elections in 2003, he established an authoritarian ruling system with the FSB (Federal Security Service) at the top and grasped oil and gas sectors vital for the Russian economy by sending his henchmen, dubbed Siloviks, into their managements, thus dashing to Russian-type state capitalism. Siloviks refers to people involved in the FSB and other organizations concerned with security, intelligence and national defense.

In this way, he now reigns over the country on the basis of the FSB-helmed authoritarian ruling system, while exercising wanton tyranny and expropriation, as if he were Peter the Great.

We must therefore appeal to the working people of Russia, 'Overthrow the Putin regime!' And at the same time, we say from the depth of our heart:

Russian working people! Where is the starting point to which you should go back? Is it 1991, the year when the Soviet Union collapsed and to which Putin refers deplorably as the year of 'the catastrophe of the twentieth century'? Or is it that dark, gruesome era of Stalin? Or otherwise, is it the age of tsarist Russia, when poverty-stricken people had to let out groans and cries for 'Bread, Land and Peace'?

None of them. The only starting point to which you should go back is precisely the year of 1917, the year of the revolution that shook the bourgeois ruling class throughout the world and gave boundless hope and courage to the oppressed working class all over the word.

The event that took place on Russian soil in 1917 is the one that realized in actuality what had been announced in 1848 by Marx in his *Communist Manifesto*, i.e. the essential conversion from the modern to the contemporary age. This event realized it through the revolutionary praxis of the Russian working class. It is an epochal event that ushered in a new age called the 'contemporary age' in which we live. Even though revolutionary Russia underwent Stalinist degeneration so that the Stalinist USSR itself collapsed at last, and no matter how loudly the bourgeois ruling class raised songs of triumph, saying, 'The grand experimentation of communism in the twentieth century ended in failure', it is absolutely impossible to erase the significance of the year '1917' as the starting point of contemporary history in which we live.

The Russian proletariat, besiege the Kremlin and bring down Tsar Putin!

Soldiers of the invading Russian army, join in this battle by turning your guns on the opposite, as Russian soldiers of 1917 did!

And we call on Ukrainian working people to shatter *Putin's war* by all means, and make a step forward on a grand road to the reestablishment of a workers' state in the Eurasian continent!

— This is an appeal we address from the bottom of our heart as the anti-Stalinist revolutionary Left. Since the Hungarian revolution of 1956, which was cruelly trampled down by the tanks of the USSR, we have been fighting consistently under the banner that proclaims, along with the overthrow of imperialism, that of Stalinism.

We are eager to extend the revolutionary Marxist movement of anti-Stalinism over to Ukraine, to Russia, and to the whole world, and to revive the struggle of proletarians to liberate themselves. We ardently hope that you, Zengakuren comrades, will sympathize with this call we address as a proletarian party and go on fighting to create and develop antiwar struggles to resolutely oppose *Putin's war* while overcoming all the existing lackadaisical movements.

Q Surely, yes. We, too, are resolved to go on fighting further. I have many more questions to ask you.

About neo-Stalinism of China. About the decline of the militarist

empire of America as the 'sole superpower'. About the US-China confrontation, or a new cold war between the East and the West. About the danger of the outbreak of nuclear warfare, or a Third World War. About the relationship of the nineteenth century-like poverty now rampant in capitalist countries to the collapse of the Stalinist Soviet Union. About the reason why present-day Hitlers and mini Hitlers are so rampant today in many countries. And about global warming, and so on and so forth.

I have another question. Kan'ichi Kuroda and you, the Revolutionary Marxist Faction, have *read* structural changes of the world five years, ten years or twenty years earlier than anyone else. I wonder what makes it possible for you to do so. I'm eager to know that.

But time does not allow us. I hope we'll have a chance to talk some day.

A All the questions you just raised are, in fact, related to the question of Stalinism. Concluding, from the collapse of the Soviet Union, that Marxism-Leninism has ended is nothing short of a capitalist-class view of history. In other words, when you become aware that what collapsed is Stalinism, which was totally against the working class, you should find Marxism-Leninism shining radiantly, discover that all the questions are closely related to each other and come to see the world assuming a totally different aspect. And in the depth of this disastrous, miserable world, you should also find something stirring and quickening.

I ardently hope young comrades will join with us in revolutionary praxis to carve out a new future in the history of the world.

Let's fight together, comrades!

〔本論文は、本誌第325号に掲載された「ロシアのウクライナ侵略に反対しよう　Q＆A」を英訳したものです。〕

国際・国内の階級情勢と革命的左翼の闘いの記録（二〇二三年四月〜五月）

国際情勢

4・3 フィリピン政府が米軍の巡回駐留拠点を新たに4ヵ所設置することを発表
4・4 **NATOがフィンランドの加盟を正式決定**
4・5 訪米した台湾総統・蔡英文が米共和党下院議長マッカーシーと会談、武器支援強化など確認
▽ゼレンスキーがポーランド訪問、大統領ドゥダがミグ29を10機追加供与と表明（計14機に）。ドイツがポーランド経由での5機供与を了承（13日）。スロバキアが同機13機をウクライナに引き渡し完了（17日）
4・6 訪中した仏大統領マクロンと欧州委員会委員長フォンデアライエンが習近平にロシアへの軍事支援をするなと要請、習は台湾問題に干渉するなと対応
4・8 中国軍「東部戦区」が台湾を囲む海域で演習（〜10日）。訪米した蔡とマッカーシーの会談への恫喝
4・10 米印両空軍がインドで共同演習「コープ・インディア」を開始。日本空軍もオブザーバー参加
4・11 **米比両軍がフィリピンで軍事演習「バリカタン」を開始、過去最大の1万7600人参加**（〜28日）。南シナ海で船を標的に実弾発射（26日）
▽米比2＋2を7年ぶりに開催（ワシントン）、「台湾海峡の安定」を明記した共同声明を発表
▽ミャンマー国軍が北西部の村でのスーチー支持派の行政事務所開設式典を空爆、死者168人
▽ロシアがICBM発射実験。2月の新START履行停止いらい初

国内情勢

4・1 「子ども家庭庁」が発足
4・2 林芳正が外相として3年ぶりに訪中し外相・秦剛と会談、拘束邦人の解放などで応酬
▽中国海警船が尖閣諸島周辺に「侵入」、72時間を超え過去最長
▽陸上自衛隊が石垣駐屯地を開設
4・3 日米韓3ヵ国軍が済州島南方公海上で共同訓練開始と韓国政府発表
▽防衛省が自衛隊基地「強靭化」の業務を公告。全国283地区で核・生物・化学兵器に耐える司令部の地下化などを進める
4・4 首相・岸田文雄が衆院本会議で「武力行使3要件」を満たせば「反撃能力を行使」と表明
4・5 **政府がOSA（政府安全保障能力強化支援）の創設を決定。ODAの軍事版**
4・6 陸自多用途ヘリが沖縄県宮古島周辺海上に墜落（第8師団長ら隊員10人死亡・不明）
4・10 日銀総裁・植田和男が初会見で「金融緩和継続、物価2％は簡単ではない」と言明
4・11 政府が潜水艦発射の長射程ミサイルを三菱重工に発注したと発表（計3780億円）
▽外交青書で中国が「最大の戦略的挑戦」と強調
4・12 22年度企業物価指数が前年度比9・3％上昇、過去最高
4・15 **岸田が和歌山市の衆院補選応援演説中に**

革命的左翼の闘い

4・1 琉球大学学生会と沖縄国際大学学生自治会が「辺野古新基地建設中止を求める第37回県民大行動」（主催・オール沖縄会議、辺野古）に決起。650名の労・学・市民の先頭でたたかう。革命的・戦闘的労働者は職場深部から多くの組合員を集会に組織化。わが同盟が「南西諸島の軍事要塞化反対」の情宣
4・15 全学連北海道地方共闘会議と反戦青年委員会がJR札幌駅前で「G7サミット気候・エネルギー・環境相会合反対」「原発・核開発反対」を訴える
4・22 全学連が「先制攻撃体制の構築阻止、憲法改悪反対、〈プーチンの戦争〉粉砕」を掲げ、国会・首相官邸・アメリカ大使館に戦闘的デモ
4・25 沖縄県反戦労働者委員会が「辺野古・大浦湾海上アピール」行動（主催・ヘリ基地反対協議会）に決起、この日の土砂陸揚げを阻止
4・27 金沢大学共通教育学生自治会が「改憲・大軍拡反対、ウクライナ軍事侵略反対」の香林坊デモ。デモに先だって角間キャンパスでアピール集会
4・28 全学連関西共闘会議が自民党兵庫

4・12　ブラジル大統領ルラが訪中。習近平と会談、ウクライナ「停戦」とBRICS強化で一致（14日）
▽シリアとサウジアラビアの外相がジッダで会談し国交正常化を合意。サウジ外相がシリア訪問（18日）
4・13　北朝鮮が固体燃料式ICBM「火星18」を発射
▽米FBIが米空軍州兵を機密文書流出容疑で逮捕
4・14　プーチンが招集令状電子化法案に署名。招集メール受領時点で出国禁止
▽米韓両軍が朝鮮半島上空で空中訓練開始、米軍B52、韓国軍F35など参加。17日に航空機110機の大演習
▽露軍太平洋艦隊が北方諸島への上陸阻止の演習開始
4・15　ドイツの最後の原発3基が運転停止
▽スーダンで国軍と民兵組織RSFが戦闘。各地に拡大（17日）。RSFに露「ワグネル」がミサイル供与
4・17　露外相ラブロフがブラジル訪問、ルラの「ウクライナ和平努力」に謝意を表明
4・18　中・露国防相がモスクワで会談、軍事協力を確認
▽プーチンがウクライナ東南部2州を訪問
4・19　ドイツ政府が地対空ミサイル「パトリオット」をウクライナに引き渡したと発表
▽インドの人口が今年中国を抜き世界一の14・28億に
4・24　豪政府が国防戦略見直し提言を発表、長距離精密誘導ミサイルの製造・配備を位置づける
4・26　バイデンと訪米した韓国大統領・尹錫悦が会談。「拡大抑止力強化」を謳う「ワシントン宣言」
▽中国全人代常務委員会がスパイの定義を拡大する「反スパイ法」改定案を可決・成立。7月1日施行
4・29　クリミア・セバストポリの燃料タンクで大規模火災。ウクライナが自軍の攻撃と表明（30日）

金属パイプ爆弾を投擲される。24歳男を逮捕
4・16　G7外相会合（〜18日、軽井沢）で「中・露の力による現状変更に反対」を確認
4・17　政府が衛星による極超音速滑空兵器追跡の実証実験を含む宇宙基本計画改定案を公表
4・18　日本原電敦賀2号機の再稼働申請書に誤りが続出として原子力規制委員会が審査中断
▽日本学術会議総会で政府の学術会議法改定案に「独立性を毀損する」と猛反発噴出。政府が同法案の国会提出の見送りを決定（20日）
4・20　日米合同委員会が那覇軍港の浦添沖移転・代替施設建設を合意
▽海上自衛隊がインド太平洋の17島嶼国・地域を巡回する過去最大の艦隊派遣を開始
▽22年度の貿易赤字21・7兆円、過去最高
4・21　「内閣感染症危機管理統括庁」設置を盛りこんだ関連2法改定法が参院で可決・成立
▽スーダンからの邦人退避にむけ航空自衛隊輸送機がジブチに出発
▽昨年度消費者物価指数が3・0％上昇
4・27　健康保険証を廃止するマイナンバー法案が衆院本会議で可決
4・28　日銀が大規模金融緩和策の維持を決定
4・29　「連合」メーデーで岸田が挨拶、「連合」会長・芳野友子が「非常に光栄」と媚態
4・30　岸田がエジプト訪問。以後ガーナ、ケニア、モザンビークを歴訪（〜5月4日）、投資拡大などでグローバルサウスとりこみを図る。シンガポールで首相リーと会談（5月5日）

県連（神戸市）に「先制攻撃体制の構築反対・改憲阻止」の抗議闘争、つづいて街頭情宣
4・29　わが同盟が第94回「連合」メーデー中央大会（東京・代々木公園）で「賃下げ回答＝妥結弾劾、改憲・大軍拡阻止」の情宣、「ウクライナ反戦」を訴える『解放』第2763号の「新入生歓迎特集」も配布／「連合福岡」メーデー（福岡市）でわが同盟が情宣
5・1　わが同盟が「全労連」メーデー（東京・代々木公園）で情宣、「日米軍事同盟の強化反対、ウクライナ反戦」を呼びかける／わが同盟が「全労協」日比谷メーデー（日比谷野音）で情宣
・全国各地のメーデーにわが同盟が戦闘的檄――「連合北海道」（札幌市）、「連合大阪」（大阪市）、「大阪労連」（大阪市）、「愛労連」（名古屋市）、「連合石川」（金沢市）
5・3　首都圏のたたかう学生が「あらたな戦前を許さない！守ろう平和といのちとくらし 憲法大集会」（主催・実行委員会、東京有明・防災公園）の最先頭で奮闘、「ファシズム反対」のプラカードを掲げ戦闘的息吹。わが同盟が「改憲・大軍拡阻止」を訴えるビラ

4・30 パラグアイ大統領選で保守与党のペニャが当選、台湾との国交は維持
5・1 バイデンが訪米した比大統領マルコスと会談、「南シナ海の航行の自由維持」を謳う共同声明
5・2 中国外相・秦剛がミャンマーで国軍総司令官ミンアウンフラインと会談し支援継続を表明
5・3 クレムリンのロシア大統領府にドローン攻撃
▽米FRBが0・25%利上げ決定
5・4 欧州中央銀行が0・25%利上げ決定
5・7 アラブ連盟外相会合でシリアの復帰を決定
5・9 **ロシアの対独戦勝記念日。プーチンが憔悴の演説、戦車は旧式1台のみ、「不滅の連隊行進」も中止**
▽イスラエルがガザの「イスラム聖戦」拠点を空爆、13人死亡。ガザから報復のロケット攻撃（10日）
5・11 イギリス国防相が射程250キロのミサイル「ストームシャドウ」をウクライナに引き渡したと表明
5・13 ロシア南西部ブリャンスク州で露軍戦闘機・ヘリが墜落
5・14 トルコ大統領選でエルドアン、野党クルチダルオールとも過半数とれず。28日の決選投票でエルドアンが当選
5・15 米財務長官イエレンが資金繰りの行き詰まる6月1日までに政府債務上限問題で措置をとれと警告
5・16 中国のユーラシア特別代表・李輝がウクライナを訪問し「全当事者による早期停戦を支援」と表明
▽南アフリカ大統領ラマポーザが複数のアフリカ首脳とロシア・ウクライナを訪問し和平を仲介と表明
▽ロシアの4月の石油輸出量がウクライナ侵略開始後

5・1 財務相・鈴木俊一と韓国経済副首相兼企画財政相・秋慶鎬が7年ぶり日韓財務相会談
5・3 岸田が改憲集会にメッセージを送り早期の国会発議を呼びかけ
5・7 **岸田が韓国大統領・尹錫悦と会談（ソウル）、安保や半導体供給網での協力強化を確認**
5・8 官房長官・松野博一が宮古島の空自基地にPAC3を配備すると表明
▽政府が新型コロナの「5類」への移行を実施
5・9 3月の実質賃金が前年同月比2・9%減
▽難民申請を2回までしか認めないとする入管法改悪案を衆院本会議で可決
▽軍需産業強化法案が衆院本会議で可決
5・11 政府が「AI戦略会議」の初会合で生成AI活用ルールを討議
5・12 G7財務相・中銀総裁会合（11～13日、新潟市）の拡大会合。脱炭素関連の技術・資源など供給網の新枠組み形成をめざす
▽GX推進法案が衆院本会議で可決・成立
5・16 政府の関係閣僚会議が電力大手7社の家庭むけ電気料金14～42%値上げ申請を了承
5・17 原子力規制委が東電柏崎刈羽原発の「テロ対策」検査継続を決定、10月再稼働は困難に
5・18 日米首脳会談（広島）で「台湾海峡の平和と安定の重要性」を確認
▽岸田が米・欧・韓・台の半導体企業7社の幹部と面会、日本での事業展開投資を要請
5・19 **G7広島サミットに参加した各国権力者が原爆資料館を見学、その後「広島ビジョ**

と「ウクライナ反戦」を呼びかける『解放』「新入生歓迎特集」を配布、共感広がる
・神戸大生の会と奈良女子大学学生自治会が「かがやけ憲法！平和といのちと人権と おおさか総がかり集会」（主催・実行委員会、大阪市）に決起。わが同盟が「改憲・大軍拡阻止」の情宣
・たたかう労働者・学生が「STOP改憲！5・3憲法集会」（主催・戦争をさせない北海道委員会、札幌市）に起つ。わが同盟が情宣
・金沢大共通教育自治会が「5・3護憲集会」（主催・石川県憲法を守る会、金沢市）と「平和憲法施行七十六周年記念石川県民集会」（主催・市民アクション・いしかわ、金沢市）で奮闘。わが同盟が情宣
5・13～14 沖縄県学連と全学連派遣団が「5・15平和行進・県民大会」（主催・実行委員会）を最先頭で牽引。嘉手納基地に怒りのシュプレヒコール（13日）、県民大会（宜野湾市）で「先制攻撃体制の構築反対、＜プーチンの戦争＞を打ち砕け」の檄（14日）。辺野古現地でキャンプ・シュワブを包囲するデモ（14日）
5・19 **全学連が「G7広島サミット反**

最高の日量830万バレルに。8割が中国・インド向け

5・18 **中国が中央アジア5ヵ国と初の対面首脳会議**（西安）。**「一帯一路」と「内政干渉反対」を確認**

5・19 **G7広島サミット開催**（〜21日）。**首脳宣言で「法の支配」の名において対中露核軍拡を確認**

▽ゼレンスキーがアラブ連盟首脳会議に出席し各国にウクライナ支援を要請

5・20 バイデンがウクライナへの欧州諸国のF16戦闘機供与を容認する発言

5・21 **ゼレンスキーが訪日し**（20日）**G7会合と拡大会合に参加、ウクライナへの武器支援の強化を要請**

5・22 ロシア南西部ベルゴロド州にウクライナから「ロシア義勇軍団」と「自由ロシア軍団」が侵攻

▽ロシア安保会議書記パトルシェフがモスクワを訪問した中共中央政法委書記と治安維持をめぐり協議

5・25 ウクライナ大統領府顧問ポドリャクが反転攻勢は「すでに始まっている」と語る

▽**米韓両軍が韓国北部で北朝鮮との陸上戦闘を想定した過去最大規模の火力訓練**

5・27 中国空母「山東」が台湾海峡を初通過

▽バイデンとマッカーシーが「債務上限」の2年間限定の引き上げで原則合意。31日に米下院で法案可決

5・28 プーチンがウクライナ国境の「警備強化」を指示

5・29 露軍がキーウなどをミサイルと無人機で集中攻撃。ゼレンスキーが「反転攻勢の時期決定」と表明

▽**北朝鮮が軍事衛星を5月31日〜6月11日に発射と予告。31日に発射、失敗して黄海に墜落**

5・30 中国が有人宇宙船「神舟16号」打ち上げ

ン」で「核抑止」の必要性を宣言

▽4月の消費者物価指数が前年同月比4・1%増、第二次石油危機以来41年ぶりの上昇

▽日経平均株価がバブル崩壊後の最高値を記録

5・21 岸田がゼレンスキーと会談し100台規模の自衛隊車両などを提供すると表明

5・23 「防衛費財源確保法」案が衆院本会議可決

▽22年度の実質賃金が前年度比1・8%減

5・24 文科省と宇宙航空研究開発機構が次世代ロケット「H3」2号機への衛星搭載を断念

5・25 公明党が次期衆院選で東京では自民党候補者を推薦しないと自民に通告。埼玉と愛知では自民が公明支持の妥協案で合意（30日）

▽ソニーグループが熊本県に半導体工場用地を取得する方針を表明

5・29 岸田が長男・翔太郎を首相秘書官から更迭、首相公邸での「忘年会」問題で

▽北朝鮮が日本政府に人工衛星発射予定期間を通告、防衛相・浜田靖一が自衛隊に破壊措置命令。北朝鮮の発射失敗後も防衛省は破壊措置命令を継続（31日）

▽海自護衛艦「はまぎり」が韓国・釜山に旭日旗を掲げて入港

5・30 トヨタと独ダイムラーが共同出資で持ち株会社を設立し、このもとで日野自動車と三菱ふそうを経営統合すると発表

5・31 **原発60年超運転可を盛りこんだGX脱炭素電源法案が参院本会議で可決・成立**

対」首相官邸前闘争。「軍拡財源確保法の制定阻止、アジア太平洋版NATOの構築反対」のシュプレヒコール

・全学連関西共闘と反戦青年委員会が自民党大阪府連（大阪市）に「G7広島サミット反対」の拳

5・21 琉大学生会と沖国大自治会が南西諸島へのミサイル配備に反対する「5・21平和集会」（主催・実行委員会、北谷町）で〈反安保〉の旗高く奮闘

5・23 首都圏のたたかう学生が軍拡財源確保法案衆院採決阻止の緊急国会前闘争。総がかり実行委・全国市民アクション主催の「緊急行動」に結集した労働者・市民とも連帯し「改憲・大軍拡阻止」の拳

5・30 首都圏のたたかう学生が〈反安保〉の旗高く軍拡財源確保法案参院採決阻止の国会前闘争に決起。総がかり行動実行委・全国市民アクション主催の「緊急行動」の最先頭でたたかう

『新世紀』バックナンバー

No.325 2023年7月	No.324 2023年5月	No.323 2023年3月	No.322 2023年1月
憲法改悪・大軍拡阻止に起て G7サミット反対【新入生は今こそ起て／ウクライナ侵略反対Q&A】ウクライナの左翼と連帯／改憲阻止・プーチンの戦争粉砕【特集23春闘】『連合白書』批判／「全労連」指導部弾劾／私鉄・トヨタ・JAM・NTT・出版・郵政	**ウクライナ反戦、大軍拡阻止に起て** 〈プーチンの戦争〉粉砕／「大祖国戦争」神話／改憲・大軍拡阻止／分断と荒廃のアメリカ／大幅一律賃上げ獲得／反戦反安保の闘いを／自動車春闘／電機春闘／原発運転期間延長／日本のエネルギー安保／汚染水放出／40年廃炉の破綻	**戦争の時代を革命の世紀へ** 世界大戦の危機を突破せよ／全世界からメッセージ／政治集会特別報告／「安保三文書」弾劾／「リスキリング」／現代世界経済／中共第20回党大会／ウクライナ軍・人民の戦い／「神戸事件」／反革命＝北井一味を粉砕せよ（第七―八回）	**大軍拡阻止、〈プーチンの戦争〉粉砕** 断末魔プーチンのあがき／ウクライナ全土へのミサイル攻撃／SCOサミット／改憲・大軍拡阻止、ウクライナ反戦を／貧窮強制を許すな／安倍の「国葬」弾劾／プーチンの大ロシア主義／反革命＝北井一味を粉砕せよ（第四～六回）

新 世 紀　第326号（隔月刊）

日本革命的共産主義者同盟 革命的マルクス主義派 機関誌©

発行日　2023年 8 月 10 日

発行所　解 放 社
〒162-0041　東京都新宿区早稲田鶴巻町 525-3
電話 03-3207-1261　振替 00190-6-742836
URL http://www.jrcl.org/

発売元　有限会社 K K 書 房
〒162-0041　東京都新宿区早稲田鶴巻町 525-5-101
電話 03-5292-1210　振替 00180-7-146431
URL http://www.kk-shobo.co.jp/

ISBN 978-4-89989-326-4　C0030